아들아
투자 마인드가 먼저다

아들아 투자 마인드가 먼저다

발 행 | 2024년 7월 30일
저 자 | 나자유
펴낸이 | 한건희
펴낸곳 | 주식회사 부크크
출판사등록 | 2014.07.15.(제2014-16호)
주 소 | 서울특별시 금천구 가산디지털1로 119 SK트윈타워 A동 305호
전 화 | 1670-8316
이메일 | info@bookk.co.kr

ISBN | 979-11-410-9660-1
www.bookk.co.kr

아들아
투자
마인드가
먼저다

나자유 지음

CONTENT

4

1. 왜 투자해야 하는가?

1-1. 자본주의 경제 체제에서 살아남기

자본주의는 경제 체제의 한 형태로, 개인과 기업이 경제 활동 대부분을 수행하고, 시장 경제의 규칙에 따라 자원이 배분되는 체제를 말한다. 자본주의 이외에 공산주의 경제 체제가 있는데 역사를 통해 공산주의 경제 체제를 취한 대부분 나라의 국민이 빈곤하게 사는 것을 명백히 볼 수 있다. 따라서 대다수 나라는 자본주의 경제 체제를 채택하고 있다.

이 자본주의 체제는 중세시대의 제조업과 국제 무역의 발전으로부터 시작되었다. 19세기에 들어서는 자본주의는 더욱 성장하였고, 이 시기에는 자유시장 원칙, 경쟁, 그리고 이윤 추구 등이 강조되었다. 이러한 원칙들은 오늘날의 자본주의 체제의 기본적인 특징을 형성하였다.

다시 말해서, 자본주의는 상품 생산과 국제 무역의 발전, 그리고 산업혁명을 통해 발전하였으며, 이는 개인과 기업이 경제 활동을 통제하고, 자원을 시장 경제의 규칙에 따라 배분하는 현대의 자본주의 체제로 이어졌다.

현대의 자본주의 사회에서는 자본이 주인이다. 요즘 청소년들의 주요 관심사는 부자가 되고자 하는 것이다. 심지어 어린이들도 자본의 힘을 알고 있다. 그렇다. 자본주의에서는 자본이 주인이고 자본이 기반이다. 자본을 투자하면 자본을 수확하게 된다. 자본주의 사회에서 자본이 없다면 자본의 노예로서 살 수밖에 없다.

'물질만능주의' 그리고 '유전무죄, 무전유죄'라는 말들을 자본주의에서 경제 체제에서 흔히 들어볼 수 있다. 자본이 있다고 행복을 보장할 수는 없지만, 자본이 없다면 불행해질 수밖에 없다. 자본이 없다면 최소한의 인간으로서 품위를 유지할 수 없기 때문이다. 인간 사회에서 많은 다툼이 일어난다. 이런 다툼의 원인 중 중요한 하나는 돈이다. 자본이 없거나 부족할 때 불행이 찾아오고 다툼이 일어난다. 하지만 대다수 국민은 자본의 노예로서 살아가고 있다.

우리나라에서 좋은 대학교를 졸업한 대다수 학생은 기업에 취직하려 한다. 좋은 기업에 취직하는 것을 목표로 유치원부터 대학까지 열심히 공부한다. 하지만 큰 기업에 취직한다고 자본의 노예에서 벗어나는 것이 아니다. 기업은 노예에서 해방될 정도로 월급을 주지 않는다. 그 기업에서 계속 일하도록 겨우 생계를 꾸려갈 정도의 월급만 준다. 즉 그 기업의 노예로서 계속 살게 하는 것이다.

대학을 졸업 후에 기업가로 도전할 수 있다면 좋겠지만 우리나라에서 그런 역량을 갖춘 대학 졸업자들은 적다. 그리고 우리나라는 정부의 규제가 많고 세금 또한 많다. 상속세 등 많은 세금으로 인해 사업으로 부유해진 많은 이들이 우리나라를 떠나고 있다. 더구나 갈수록 강력해지고 있는 노조 또한 기업을 경영하는 어려움에 한몫을 담당하고 있다.

그렇다면 자본주의 사회에서 어떻게 살아야 자본의 묶임에서 벗어나 자유롭게 살 수 있을까? 먼저 자본주의를 이해해야 하고 자본주의 경제 체제에서 어떻게 살아야 할지 스스로 생각해야 한다. 그냥 월급쟁이로 그럭저럭 살아야 할지 아니면 자본의 노예에서 벗어나 자본의 주인으로 살지 선택해야 한다. 노동으로 얻는 수입으로는 자본가의 노예에서 벗어날 수 없다는 것을 깨닫고 노동으로 인해 들어오는 급여 외에 정기적으로 수입이 들어오는 시스템을 만들어야 한다. 이런 시스템을 만들기 위해서 투자가 필요하다.

매일 같이 많은 시간을 드려야 하는 노동 이외에 정기적인 수입을 얻기 위해 할 수 있는 것은 무엇이 있을까?

1-2. 주식회사의 유래

투자를 말하기 전에 주식회사에 대한 사전 이해가 필요
하다. 먼저 주식회사의 유래를 살펴보자. 주식회사는 400
년 이상의 역사가 있다. 주식투자는 1602년 이후 돈의 역
사이다. 그리고 지금은 전 세계 경제의 역사이다. 인류 최
초의 주식시장이라고 하면 대다수 사람은 미국의 다우지
수라고 생각한다. 다우지수는 1882년 처음 시작하였으므
로 다우지수의 역사는 150년이 넘지 않는다. 미국 주식시
장이 시작하기 280년 전 이미 주식투자는 이뤄지고 있었
다.

1602년 8월 네덜란드의 동인도회사가 설립되면서 인류
최초의 주식이 네덜란드에서 처음으로 발행되었다. 동인도
회사란 인도네시아에 설립한 무역회사를 말한다. 네덜란드
의 암스테르담은 주식 청약을 받은 주요 도시다. 당시 주
식투자는 어디까지나 무역을 위한 것이었다.

스페인과 포르투갈의 시대는 오래가지 못했다. 스페인과
포르투갈 무역 경제의 몰락하고 네덜란드가 세계 자본주
의 경제의 중심으로 올라섰다. 네덜란드는 동인도회사를
설립했다. 동인도회사는 수출과 수입을 관장하며 인도와
동남아시아 일대 등에서 수입되는 후추 등 수많은 상품으

로 막대한 수익을 올렸다.

무역이 왕성해짐에 따라 큰 배가 필요했는데 큰 배를 건조하기 위해서는 큰돈이 필요했다. 이에 동인도회사는 큰 무역선 건조를 목적으로 주식을 발행하여 투자를 받기 시작했고, 이를 통해 큰돈을 마련했다. 이 당신 주식이란 돈을 끌어오기 위한 부가적인 수단일 뿐이었다.

은행에서 돈을 빌리는 것보다 주식 발행이 동인도회사에 더 유리하였다. 돈을 빌리면 이자 비용이 생기지만 주식을 발행하면 이자 비용이 없었기 때문이다.

동인도회사는 독점적인 동양 무역권을 가지고 있으므로 전망이 좋았다. 이에 여러 나라 유럽인들은 동인도회사에 투자하기 시작했고, 동인도회사에 막대한 자금이 쌓여갔다.

동인도회사 같은 무역회사 주식이 많아지면서, 더 이상 일대일의 개인적인 거래는 힘들어졌다. 장부상으로 기록할 지라도 이 과정에서 위험성이 존재하였다. 따라서 좀 더 공식적인 중개인이 필요하게 되었다.

오늘날 인터넷으로 주문을 할 때 판매 사이트가 중개 자가 된다. 먼저 구매인이 상품에 대해 지불한 돈을 중개 자가 보관하였다가 판매인이 발송한 상품을 구매인이 수

령한 후 보관한 돈을 판매자에게 넘겨주는 역할을 한다. 이런 중개자의 개념으로 주식 거래를 위해 네덜란드 정부는 공식적인 중개처를 만들었는데 이것이 주식 거래소이다.

이렇게 해서 1613년 세계 최초의 증권거래소가 암스테르담에 세워졌다. 증권거래소로 인해 공식적인 시장에서 주식이 거래되기 시작했다. 따라서 주식투자자들은 암스테르담 거래소에서 더욱 활발하게 투자할 수 있게 되었다.

주식의 시작은 무역회사를 믿고 큰 배를 건조하는데 함께 투자하여 함께 수익을 나누는 구조였다. 어떤 시세 변동에 따른 차익을 얻는 것도 아니고 주가의 변동을 연구해서 수익을 얻는 것도 아니었다. 무역회사가 잘 될 것으로 믿고 그 회사에 투자하여 그 회사와 함께 수익을 나누어 가지는 것이었다.

물론 무역회사가 예기치 않은 일로 손실을 입게 되면 투자자들도 함께 손실을 나누게 된다. 즉 무역회사의 발전을 믿고 동업하는 마음으로 투자하는 것이다.

오늘날 많은 주식 투자자가 투자하는 방법은 다양하다. 하지만 최초의 주식투자를 기억할 필요가 있다. 최초의 투자 방식은 회사가 지속 발전할 것을 믿고 단기간이 아니라 오랫동안 그 회사와 함께 하는 것이다. 물론 투자하는 대상인 회사는 장래가 밝고 독점적인 회사로 지속성장할 것을 기대할 수 있는 무역회사였다. 즉 작은 기업의 주식이 아니라 우량주식에 투자한 것이고 기간은 단기간이 아니라 오랜 기간 우량회사와 함께 하는 투자가 바로 인류가 처음으로 주식회사에 투자한 방식이었다.

주식회사의 유래를 통해 주식투자의 본연의 취지를 살펴보면 투자하는 회사를 믿고 신뢰를 보내며 오랜 기간 함께 하는 것임을 알 수 있다. 만약 많은 주주들이 이러한 생각을 한다면 회사의 가치는 계속해서 그리고 크게 상승할 것이다.

요즘 많은 이들이 주식투자를 하고 있다. 하지만 이들 중에서 주식을 사는 것이 곧 기업을 사는 것이라는 생각으로 투자하는 이들이 얼마나 될까? 어떤 기업의 주식을 한 주라도 보유한다면 그는 그 기업의 주주가 된다. 즉 그 기업의 경영인이 되는 것이다. 이런 생각이 있다면 주식투자를 함부로 하지 않을 것이다. 그 기업이 독보적인 제품을 만들고 있는지 살펴볼 것이고, 다른 기업이 대체할 수 없는 비즈니스 모델이 있는지 알아볼 것이다. 주식을 산다는 것을 기업을 인수한다는 심정으로 주의를 기울일 것이다.

만약 우리가 투자하지 않는다면 기업에 취직해서 노동으로 월급을 받는 길밖에 없다. 하지만 주식회사에 투자한다면 내가 자고 쉬는 동안에도 그 기업에 종사하는 사람들이 그 기업을 위해 일하고 있는데 이는 바로 나의 기업을 위해 우수한 많은 인재들이 일하고 있게 되는 것이다. 주식투자는 내가 자는 동안에도 누군가가 나를 위해 일하는 구조를 만들어 놓는 것이다.

주식투자를 하지만 장기간 하지 못하는 이유는 기업에 초점을 맞추지 않고 주가에 초점을 두기 때문이다. 평생 함께할 기업이라면 주가가 흔들릴 수도 있고 얼마간 주가가 하향할 수도 있지만, 장래를 보고 투자를 멈추지 않아야 한다. 오히려 주가가 내려갔을 때 감사한 마음으로 그 기업의 주식을 담을 수 있을 것이다.

다음은 저자 이영주의 '부의 진리'의 글의 한 부분이다.
[원금의 손실을 감수하더라도 기업의 미래가치에 투자하고 기업의 성장에 따른 수익을 배분받는 것, 기업과 한배를 타고 기업의 성장을 함께 하는 것, 이것이 바로 진정한 주식투자의 본질이다.]

주식회사의 유래를 통해 주식투자가 무엇인지 간단히 살펴보았다.

1-3. 우리가 맞이할 세계

과거에는 자본가들이 무역으로 부를 축적하였다. 그리고 산업혁명 시대에는 공장을 세우고 제품을 판매해서 자본을 축적하였다. 앞으로는 어떤 세상이 펼쳐질까?

앞으로 인공지능 기술이 발전함에 따라 많은 일자리가 인공지능에 의해 대체될 것이다. 과거 인공지능 알파고의 등장으로 사람들을 놀라게 했지만 요즘 인공지능의 발전 속도는 놀랍게 빠르다. 인공지능이 발전함에 따라 다양한 직업을 인공지능이 대체하고 있다. 지금도 대기업들에서 대량 해고 사태가 일어나고 있다. 아무리 전문직이라도 인공지능에 의해 대체되지 않을 직업은 적을 것이다.

요즘 미국 젊은이들에게 인기 직종 중 하나는 배관공이다. 왜냐면 배관공은 인공지능에 의해 대체되지 않으리라 판단하기 때문이다. 하지만 최근 인공지능 로봇 개발도 여러 기업에서 이루어지고 있다. 과연 어떤 직업이 살아남을 수 있을 것인지? 아마 거의 대다수 직업이 인공지능이나 로봇에게 대체될 것이다. 이렇게 되면 대다수 사람은 직장을 잃고 정부가 보조하는 기본 소득으로 살아가야 한다.

반면 인공지능 기업을 소유한 자본가의 부는 빠르게 늘

어난다. 서울대 유기윤 교수 연구팀에서 미래 사회의 모습을 말하였다. 미래 사회에서는 사람들이 플랫폼 소유주, 플랫폼 스타, 인공지능, 프레카리아트의 4개 계급으로 살아가게 된다는 것이다. 안타까운 것은 대다수 시민이 프레카리아트 계급에 속하게 되는데 이는 임시 계약직 형태로 단순 노동에 종사하면서 저임금으로 근근이 살아가는 일반 시민 계층이 된다.

그렇다면 앞으로 다가올 시대에서는 빈곤을 벗어나는 방법은 무엇인가? 그 방법은 인공지능 기업의 소유주가 되는 것밖에 다른 길이 없다. 그 방법은 바로 인공지능으로 성장할 기업의 주주가 되는 것이다.

1-4. 인플레이션은 왜 발생하는가?

어렸을 적에 매일 용돈 100원을 받곤 하였다. 부모님께서 일하러 가시기 전에 동생과 나에게 100원에서 200원 정도 주셨다. 100원이면 막대 아이스크림을 두 개 정도 사서 먹을 수 있었다. 라면도 살 수 있었다. 100원으로도 많은 것을 살 수 있었다. 하지만 지금은 100원으로 살 수 있는 것이 거의 없다. 즉 물가는 상승이 되고 통화의 가치는 하락하는 인플레이션 현상이 계속 일어나고 있다. 다음은 짜장면 가격 변동 그래프이다.

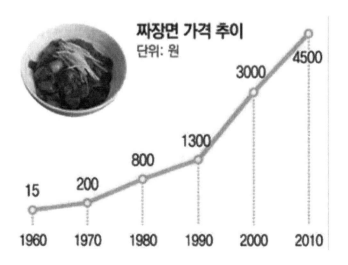

짜장면 가격 추이
단위: 원

15 / 200 / 800 / 1300 / 3000 / 4500
1960 1970 1980 1990 2000 2010

어렸을 때 짜장면 한 그릇에 500원 정도 하였는데 지금은 5000원이 넘는다. 40년 동안 10배 이상 올랐다. 다르게 말해서 돈의 가치가 10배 넘게 하락했다는 것이다.

자본주의 경제 체제에서 인플레이션 현상은 계속 발생한다. 경기 침체는 주기적으로 일어나는데 각국 중앙은행은 경기 침체 시기에 경기를 부양하기 위해 통화량을 늘릴 수밖에 없다. 이렇게 늘어난 통화량이 유통되어 인플레이션이 발생하게 된다.

다음은 기축 화폐인 달러의 가치 변화를 보여주는 그래프이다.

전 세계 제일의 기축 화폐인 달러의 가치가 계속 하락하고 있다. 그리고 우리나라 화폐의 가치는 달러 대비 하락하고 있다. 그렇다면 우리나라 화폐는 달러

보다 더 빠른 속도로 가치가 하락하고 있다는 것이다.

만약 이런 돈을 보관하고만 있다면 인플레이션 현상으로 돈의 가치가 하락하기에 보관하고 있는 돈의 양은 변함이 없지만, 손실을 입게 된다. 손실을 입지 않기 위해서는 하락하는 돈의 가치 이상으로 이익을 남겨야 한다. 은행에 돈을 맡기면 이자가 있지만 은행 이자로서는 인플레이션을 이기기 쉽지 않다.

이런 인플레이션으로 부의 양극화는 심화되고 있다. 인플레이션으로 각종 물가는 오르지만, 근로자의 월급은 조금 인상되어 급여만으로 사는 근로자는 점점 가난해진다. 또한, 주기적으로 일어나는 경제 침체 시기에 돈이 풀려 인플레이션이 크게 일어날 때마다 자본을 많이 소유한 자본가들의 재산은 늘어나고 가난한 이들과 임금으로 살아가는 근로자의 재산은 감소한다.

내가 어릴 적에 우리나라의 은행 이자는 연 10% 정도였다. 은행에 돈은 맡기기만 하면 10%의 이자가 나오기에 다른 투자를 생각할 필요가 없었다. 그 당시 우리나라는 경제 성장이 높은 시기라서 재산이 크게 상승할 때였다. 하지만 요즘 은행 이자는 너무 적어서 은행의 이자만으로는 재산을 증식할 수 없다.

은행은 저축한 사람들에게 약간의 이자를 지급하고 목돈을 얻는다. 이렇게 얻은 목돈을 굴려 이자로 지급한 금액보다 훨씬 큰 수익을 얻는다. 우리가 은행에 돈을 맡기는 것은 결국, 은행을 도와주는 셈이 된다. 은행에 돈을 예치하는 것은 은행을 위하는 것이고 자신에게는 손실이라는 사실을 알아야 한다. 인플레이션으로 은행 이자 보다 돈의 가치는 더 하락하기 때문이다.

그러므로 우리는 돈의 가치가 계속 하락되는 인플레이션이 일어나는 자본주의 사회에 살고 있다는 사실을 명심해야 한다. 우리가 수입이라곤 급여밖에 없는 근로자라면 그리고 여분의 돈을 은행에 저축하고 있다면 인플레이션으로 인해 우리의 자본은 줄어들 수밖에 없음을 깨달아야 한다.

1-5. 투자의 쓸모

우리는 인플레이션이 계속 발생하는 자본주의 사회에 살고 있다. 은행에 돈을 저축하기만 한다면 시간이 갈수록 손실을 볼 수밖에 없는 시스템에 살고 있다. 대다수 물가는 가파르게 상승하지만, 임금 상승률은 낮아서 노동의 대가로 받는 월급만으로는 은퇴 후 노후 경제생활이 어려워질 수밖에 없다. 특히 우리나라 대다수 부모는 자녀 교육에 희생적이어서 자녀들 교육비로 자신의 노후를 준비하지 못하는 실정이다. 그렇다면 은퇴하고 나서도 은퇴 전 월급을 받던 생활을 어떻게 유지할 수 있을까?

월급을 받아 절약하여 매달 어느 정도 저축을 한다고 하더라도 대다수 직업의 월급으로는 노후 생활비를 대비할 수 없다. 우리나라 노인 한 분이 필요한 생활비는 150만 원 이상이다. 나이가 들어 몸이 아프다면 병원비도 무시할 수 없다. 하지만 자녀 학원비를 포함해서 고정 지출이 많기에 노후 생활비를 저축만으로 마련하기 어렵다.

노후 생활비를 마련하는 미국의 사례 한 가지를 살펴보자. 2009년에 시작된 미국의 근로자라면 의무가

입해야 하는 퇴직 연금제도가 있다. 401K 제도인데 근로자는 월급의 10%를 의무적으로 낸다. 이렇게 모인 돈으로 미국 정부는 우량주식에 투자한다. 즉 매월 근로자는 의무적으로 미국 주식에 투자하게 되는 것이다. 이렇게 매월 투자하고 근로자가 퇴직할 때 연금을 수령 받게 되는데 많은 경우 생각지도 못한 큰 금액을 수령 받게 된다. 매월 적립식으로 투자해서 모은 우량주식의 가격이 장기간 상승하였기 때문이다.

우리나라 경우 국민연금이 있지만 갈수록 국민연금을 납부할 수 있는 경제 활동하는 국민의 수가 적어지고 있어서 언제 고갈될지 모른다. 만일 65세 이후 수령할 수 있을지라도 국민연금만으로는 노후 생활을 위한 충분한 금액이 되지 못한다. 국민연금만으로는 노후 생활비의 대안이 될 수 없다. 그렇다면 노후 준비를 위해서는 무엇을 해야 하는가? 나이 들어서 계속 근로해야 하는가? 투자 외에는 다른 길이 없다.

2. 왜 투자 마인드가 중요한가?

2-1. 투자 마인드 없는 투자의 위험성

다음은 부아c가 저술한 '부의 통찰'의 한 대목이다.

[주식투자에서는 마인드가 90%다. 사람들이 말하는 투자 실력이라는 것은 대개 시장을 읽는 법이나 그래프를 읽는 방법만을 의미한다. 하지만 투자 실력은 곧 마인드다.]

투자를 반드시 해야 하는 것을 알았지만 투자보다 투자 마인드를 갖추는 것이 우선이다. 우리 주위에 투자하는 많은 사람을 볼 수 있지만, 투자 마인드가 있는 이들은 거의 없다. 대다수는 남들이 투자하니까 투자하고 각종 정보 매체를 따라서 투자한다. 하지만 성공적인 투자자들의 공통점은 투자 마인드가 장착되어 있다는 점이다. 그리고 투자에 관한 책들이 많지만, 투자 마인드를 정립하도록 도와주는 책들은 적다. 보통 차트에 관한 기술적인 내용이나 당장 재산을 올리는 방법을 나열한 책들이 많다.

많은 투자자들이 우연히 몇 번의 투자 성공을 맛보기도 하지만 투자 기간이 길어질수록 대다수 경우 실패로 귀결되는데 이는 투자 마인드 없이 투자했기 때문이다. 비록 실패들로 인해서 투자 원칙을 하나씩 배우기도 하지만 이렇게 투자 원칙을 배워나가기에는 우리의 인생이 너무나

짧고 투자금도 적다.

투자 마인드 없이 투자할 경우 결국 실패에 이르는 이유를 예를 들어 설명해보겠다. 프로 권투 선수들이 참여하는 프로 권투 경기에 권투를 전문적으로 배우지 않은 일반인이 참가한다면 승패는 보나 마나 뻔할 것이다. 이처럼 투자의 세계에서도 많은 뛰어난 전문가들이 참여하고 있다. 이런 세계에 일반인이 뛰어든다면 어떻게 될 것인가는 불 보듯 뻔한 일이다.

결국 일반인의 투자금은 워렌 버핏과 같은 노련한 투자자의 호주머니로 들어가게 된다. 먼저 우리는 우리 자신이 전문가가 아닌 일반인이라는 사실을 인식해야 한다. 하루 종일 투자를 연구하는 전문가가 아니라면 먼저 우리 자신의 한계를 알고 겸손해야 한다.

일반인으로서 투자 세계에 들어간다는 것부터 위험한 일이다. 더구나 일반인이 투자 마인드를 정립하지 않은 채 투자 세계에 들어간다는 것은 맨손으로 전쟁터에 들어가는 것과 같은 것이다.

어떤 이는 투자 마인드 없이 차트를 기술적으로 분석하는 것으로 투자하는 이들이 있다. 다음은 앙드레 코스톨라니의 '투자는 심리 게임이다'의 한 부분이다.
[증권시장의 차트 분석가들도 어느 정도는 미친 사람에

속한다. 차트를 통해 사람들은 어제가 어떠했고, 오늘이 어떠한지를 가장 확실하게 볼 수 있다. 그러나 그 이상은 없다. … 나는 증권시장에서 차트 분석가로 성공을 했다는 사람을 단 한 명도 들어보지 못했다.]

  앙드레 코스톨라니는 오랫동안 투자 세계에 몸담은 전문가이다. 이런 전문가의 말을 새겨들을 필요가 있다. 차트 분석 기법 중에는 엘리어트 파동 분석도 있다. 엘리어트 파동을 들어보면 뭔가 심오한 원칙이 있는 것 같다. 하지만 이런 파동을 믿고 투자한 사람 중에 지속적으로 수익을 올린 사람들은 적다. 이런 차트 분석이 조금은 도움이 될 수 있지만, 정글 같은 투자 세계에서 좋은 무기가 될 수는 없다. 이기게 하는 유일한 무기는 투자 마인드이다. 마인드를 정립하고 정글 같은 투자 세계에 들어갈 때 승산이 있다.

2-2. 변동하는 시장의 위험성

투자의 세계는 끊임없이 파도가 일어나는 바다와 비슷하다. 파도가 계속해서 밀려오듯이 시장은 항상 요동한다. 한없이 오르다가도 갑자기 내려가는 요동이 끊임없이 일어난다. 투자 마인드 없이 항해하는 것은 돛단배 한 척이 폭풍이 출렁이는 바다 한가운데서 항해하는 것과 같다. 다음은 투자의 본이 되는 워런 버핏의 말이다.

[만약 어느 날, 미스터 마켓이 멍청함의 극치를 보여준다면 당신은 그냥 그를 무시하고 이용하면 된다. 그런데 만약 당신이 미스터 마켓의 영향을 받았다면 이제 곧 큰 어려움에 빠지게 된다. 솔직히 말하면 당신이 미스터 마켓보다 기업의 가치를 더 안다고 확신하지 못한다면 이 게임에 참가하지 않는 것이 가장 좋다.]

본인만의 확신이 있는 마인드가 있을 때 투자 게임에 참가해야 한다. 그리고 투자의 원칙이나 마인드가 정립되어야 변동이 큰 시장으로 영향받는 심리 변화를 이길 수 있다. 시장의 변동성이 많고 또한 변동성이 크기 때문에 이런 변동에서 오는 심리의 불안을 이기길 수 있는 이들은 적다. 오직 투자 마인드가 있고 투자 마인드에 따른 원칙이 세워진 이들만이 변동성이 큰 시장을 이길 수 있다. 다음은 투자 세계에서 심리의 중요함을 말하는 글들이다.

[장기 투자를 통해 자산을 불리는 과정에서 필요한 또 다른 스승이 있다. 바로 심리를 컨트롤 해 줄 스승이다. 투자에 실패하는 대부분의 이유가 심리이다. 공포장에서 욕심을 내는 용기, 과열된 장에서 절제를 할 수 있는 강단이야말로 투자 성공의 핵심이다.] ('세븐', 전인구)

[내가 투자한 종목의 시세가 불리하게 전개될 때에, 나는 결코 동요하지 않으며 그 주식에 대한 어떠한 정보도 들으려 하지 않는다. 투자는 심리 게임이다. … 나는 주식투자에 있어선 영원한 낙관론자이다. "모르는 게 약이다." 그렇기 때문에 그들은 음악적으로 잘 훈련된 내 귀에 불협화음을 울려 대지만 나는 전혀 듣고자 하지 않는다.] ('투자는 심리 게임이다', 앙드레 코스톨라니)

[주식시장이 하락하는 것은 1월에 눈보라가 치는 것만큼이나 일상적인 일이다. 주가 하락은 공포에 사로잡혀 폭풍우 치는 주식시장을 빠져나가려는 투자자들이 내 던진 좋은 주식을 싸게 살 수 있는 기회이다.] ('피터 린치의 이기는 투자 - 5개의 투자 황금률', 피터 린치)

[주식시장의 승패는 내 마음을 얼마나 잘 다스리느냐에 달려 있다. 하락장에서는 주식시장 자체를 쳐다보지 않는 것이 좋다. 나는 한참 힘들 때 주식 앱을 지우고 한동안 시장에서 떨어져 있었다. 보유할 생각이면서 하락장에서 하락 관련 뉴스를 굳이 찾아 읽거나 주가를 실시간으로

보는 것은 자기 파괴적인 행위에 지나지 않는다. 나는 그렇게 해서 자사주로 수익률 300%를 달성하였고, 애플에 투자해서 수익률 700%를 달성했다.] ('부의 통찰', 부아c)

[우리는 주가의 방향이 궁극적으로는 해당 기업의 실적에 의해 결정되리라는 것은 물론, "헛된 희망과 공포, 탐욕 앞에 무릎 꿇고 결국 투기나 도박에 빠져드는 인간의 뿌리 깊은 본성으로 인해 오랜 기간 주가는 비이성적이고 위아래로 과도한 변동성을 보일 수 있다는 것"도 함께 알아야 한다.] ('현명한 투자자의 인문학', 로버트 해그스트롬)

워런 버핏은 보유한 주식이 50% 급락하는 것을 견뎌낼 자신이 없는 사람은 주식투자를 하지 말아야 한다고 충고했다. 즉 변동성이 큰 시장에서 원칙과 마인드로 무장하지 않고는 견딜 수 없다. 변동하는 시장에서 불안한 심리를 이기는 원칙 중의 하나는 기업의 주가 보다는 기업에 초점을 맞추는 것이다. 다음은 시장보다는 기업에 마음을 두라는 글들이다.

[시장과 친해지기보다 기업과 친해지도록 노력해야 한다. 이런 사고가 훈련되면 워런 버핏과 피터 린치가 말한 것과 같이 주식시장은 존재하지 않는다고 생각할 수 있게 된다.] ('부의 통찰', 부아c)

[시장의 소음에 대한 해결책은 무엇인가? '소음가격'과 '본질 가격'을 구별할 수 있을까? 해답은 자신이 투자한 기업의 경제적 본질을 아는 것이다. 그래야 가격이 기업의 내재가치보다 더 높게 또는 더 낮게 형성되는 순간을 정확히 알아낼 수 있다.] ('현명한 투자자의 인문학', 로버트 해그스트롬)

결국 변동성이 큰 주식시장에서 마음 편한 투자를 하기 위해서는 먼저 기업의 가치를 잘 알고 있어야 한다. 잘 알지 못하고 다른 사람들의 권면으로 투자했다면 그 기업의 주가가 요동할 때 마음 편히 투자를 지속할 수 없다. 시장은 변동성이 클 뿐만 아니라 여러 작전 세력도 있음을 알아야 한다.

[위기가 지나면 더 강하게 살아남을 기업을 더 강하게 보유한 채로, 그 상황을 헤쳐나가야 한다. … 대외적인 요인, 즉 경기나 자연재해, 국가 정책 등으로 인해 주가가 50퍼센트 급락한다. 해당 기업의 펀더멘탈을 잘 알고 지켜보고 있던 투자자 입장에서 이는 '50퍼센트 할인판매', '폭탄세일'이나 다름 없다.] ('주식투자 절대 원칙', 박영옥)

만약 기업의 펀더멘탈을 잘 알고 있고 기업의 가치를 잘 알고 있다면 또한 그 기업에 대한 공부가 되어 있다면 그 기업의 주가가 급락할 때 마음의 평정이 유지될 뿐 아니라 바겐세일 기간이 찾아왔다고 생각하고 오히려 좋은 가격에 그 기업을 매수할 것이다. 다음은 피터 린치의 '피터 린치의 이기는 투자-25개의 투자 황금률'의 한 대목이다.

[부정적인 소식과 걱정거리는 늘 있게 마련이다. 주말에 너무 깊이 생각하지 말고 뉴스의 부정적인 전망들은 무시하라. 주식을 팔려면 그 기업의 펀더멘털이 악화됐을 때 팔아라.]

끊임없이 파도가 치는 바다처럼 변동성이 큰 투자 세계에서 살아남고 변화무쌍한 파도 위를 평온히 걸을 수 있게 하는 것은 투자 마인드 밖에 없다.

2-3. 손실을 두려워하는 심리 이해하기

손실 회피는 프로스펙트 이론(Prospect Theory)에 기반한 연구에서 주로 다루어지며, 다니엘 카너머(Daniel Kahneman)와 앰로스 페스키(Amos Tversky) 등의 연구자들에 의해 제시되었다. 이 이론은 경제학적인 의사결정을 설명하기 위해 계발되었으며, 사람들이 이득과 손실에 대한 인식과 평가를 어떻게 하는지를 연구하였다.

이 연구에 따르면 손실 회피는 다음과 같은 특징을 가지고 있다. 먼저 손실 감각의 비대칭성이 있다. 동일한 크기의 이득과 손실에 대해 손실을 경험하는 것이 더 큰 감정적 영향을 준다. 즉, 동일한 양의 손실은 동일한 양의 이득보다 더 큰 스트레스와 불행을 유발한다. 그래서 사람들은 이득을 얻으려는 경향보다 손실을 더욱 피하려는 경향을 보인다. 이는 손실을 피하는 것이 이득을 추구하는 것보다 더 중요하다고 인식되는 결과이다. 따라서 사람들은 위험을 회피하고 안정성과 보전을 우선시하는 경향이 있다.

마지막으로 손실에 대한 고통의 증폭이 있다. 손실은 이득에 비해 더 큰 감정적인 고통을 유발한다. 이는 손실에 대한 부정적인 정서가 더 오래 지속되고, 강렬하게 느껴진다는 것을 의미한다.

이러한 손실 회피의 특징은 경제적인 의사결정뿐만 아니라 일상적인 선택과 행동에도 영향을 미친다. 예를 들어, 투자 결정을 할 때 사람들은 손실을 최소화하고 안정적인 수익을 추구하는 경향을 보이며, 리스크를 회피하려는 경향을 나타낼 수 있다.

다음은 로버트 해그스트롬이 쓴 '현명한 투자자의 인문학'의 한 단락이다.

[내 생각에 투자자들이 주식시장에서 올바로 행동하지 못하게 만드는 가장 큰 심리적 장애물은 근시안적 손실 회피 성향이다. 투자업계에서 28년 동안 일하면서, 투자자들, 포트폴리오 관리자들, 컨설턴트들, 대형 기관투자자 펀드의 위원회 멤버들이 손실 인식을 얼마나 힘들어 하는지 (손실 회피) 직접 목격해 왔다. 빈번하게 손실을 정리하고 계량화하면서 더욱더 고통스러워하는 것을(근시안적 손실 회피) 직접 보아왔다.

오직 특별한 소수의 사람들을 제외하고 대부분의 사람들은 이런 감정적 부담을 극복하기 어렵다. … 근시안적 손실 회피를 가장 못 견딘 사람들이 주식을 팔아서 고통을 벗어나려 하는데, 그런 자연스런 충동에 저항하여 흔들리지 않고 자신의 포트폴리오를 유지한 사람들보다 성과가 훨씬 나쁘다는 것이다.]

투자하기 전에 우리 안에 있는 손실 회피의 심리를 이해하여야 한다. 그래야 하락장에서 느끼는 공포를 이겨낼 수 있을 것이다. 즉 투자는 심리 게임이고 심리를 알아야 투자의 험난한 전쟁터에서 이길 수 있다.

좋은 기업에 투자하고도 손실을 입는 경우가 있다. 아무리 우량 기업이라 하더라도 시장의 상황에 따라 주가가 30퍼센트 하락하는 경우는 자주 발생한다. 이런 상황을 견디어 내야 하는데 손실 회피성이라는 심리 때문에 장기간 투자하지 못하고 손실을 입고 처분하는 경우가 많다. 손실에 대한 심리적 압박감이 크기 때문이다.

다음은 손실 회피성에 대해서 예방 접종을 해주는 글들이다.

[주식투자로 돈을 벌려면 주가 하락에 대한 불안감 때문에 주식시장에서 서둘러 빠져나오지 않아야 한다. … 새로 닥친 위기는 항상 이전의 위기보다 더 심각해 보인다. 그래서 악재를 무시하는 것은 언제나 어렵다. 악재가 두려워 주식시장에서 도망치지 않기 위해서는 매달 정기적으로 일정 금액을 투자하는 것이 가장 좋다.] ('미래의 부', 이지성)

[돈을 몇 년간 찾지 않고 계속 펀드에 넣어둘 수 없는 사람이라면, 또 주식시장의 등락을 견뎌낼 수 없는 사람이

라면 펀드에 투자하지 말아야 한다.] ('피터 린치의 이기는 투자', 피터 린치)

[앞으로 누군가 일본 경제가 파산할 것이라든지 유성이 뉴욕 증권 거래소에 떨어질 것이라는 얘기를 하면 그때야 말로 좋은 투자 기회라는 사실을 기억하길 바란다.] ('미래의 부', 이지성)

당장 손실이 있다 하더라도 시간이 흐르면 손실에서 벗어날 것을 생각해야 한다. 아무리 좋은 기업이더라도 시장 상황에 따라 손실과 수익을 왔다 갔다 할 수 있다. 지금 제일 좋다고 생각하는 기업의 과거 주가 차트를 살펴보아라. 10퍼센트에서 30퍼센트 하락은 비일비재한 일이다. 하지만 시간이 흐르면 주가 그래프는 손실에서 멀어져 큰 수익의 상태에 있다. 당장의 손실을 시간의 망원경으로 멀리 바라본다면 손실이 잠깐 나타났다가 사라지는 안개와 같음을 알 수 있기에 손실을 두려워하는 심리를 이길 수 있다.

2-4. 투자 원칙 지키기

만약 투자 원칙이 없이 투자한다거나 자신이 정한 투자 원칙을 지키지 않는다면 어떻게 될까? 전쟁터와 같은 투자 세계에서 손실을 입을 가능성이 커진다. 시장의 소문이나 친구의 조언에 휘둘리어 원칙 없이 투자한다면 결국에는 손실에 이를 가능성이 높다.

그리고 투자 원칙이 없거나 투자 원칙을 따르지 않으면 처음은 수익을 몇 번 올릴 수도 있겠지만 투자 수익을 극대화하는 기회를 놓칠 수 있다. 또한 투자 원칙을 따르지 않았기에 감정에 휩쓸려서 중요한 순간에 오판할 수 있다. 투자는 종종 변동성이 큰 시장에서 이루어지기에 감정적인 판단은 실수와 손실을 초래한다.

마지막으로 투자 원칙을 따르지 않으면 계획 없이 무작위로 투자를 진행할 가능성이 높다. 이는 장기적인 성장과 안정성을 추구하는 데 방해가 되며, 원활한 투자 전략 구축을 방해할 수 있다. 투자 원칙을 지키지 않으면 위와 같은 문제들이 발생할 수 있으며, 이는 투자의 성공과 안전성을 저해할 수 있다. 따라서 투자자는 효과적이고 안전한 투자를 위해 원칙을 준수하는 것이 중요하다.

다음은 이지성의 '미래의 부'의 한 단락이다.

[철학과 원칙을 탄탄하게 갖춘 사람만이 단기폭락과 대폭락의 한가운데서도 흔들리지 않고 기업 본연의 가치를 믿고 투자를 계속할 수 있기 때문이다.]

그렇다면 당장의 이익이 눈앞에 보이는 투자처가 있는데 자신이 세운 투자 원칙과 맞지 않는다면 어떻게 해야 하는가? 눈앞의 이익을 위해 자신의 원칙을 저버린다면 자신이 세운 원칙을 무너뜨리게 된다. 그렇다면 원래 세운 원칙은 더 이상 원칙이 될 수 없다. 원칙을 세웠다면 어떠한 이익이 유혹해도 원칙을 지켜야 한다. 결국에는 원칙을 지켰을 때 많은 위험에서 보존되었다는 것을 말할 수 있을 것이다.

나름의 원칙을 세웠지만 계속되는 공부로 인해 원칙을 수정해야 할 필요가 생길 때가 있다. 현대 사회는 산업의 발전 속도가 빠르고 기업이 존속되는 평균 기간도 짧아졌다. 즉 많은 기업이 생겨나 발전하지만 바로 쇠퇴하고 또 다른 기업이 생겨나 우량 기업이 된다. 이런 급격한 변화에 살고 있기에 공부가 지속되어야 하고 우리의 생각도 유연해질 필요가 있다. 근본적인 투자 원칙을 바꿀 수 없지만, 시대의 변화에 따라 기업을 바라보는 관점과 산업의 발전과 변화를 따라 우리가 세운 원칙을 수정할 필요도 있다. 워런 버핏도 애플과 같은 IT 기업은 투자하지 않았다가 결국 생각을 바꾸어 투자하게 되었는데 현재 애플은 워런 버핏의 제일의 투자처가 되었다. 열린 생각으로 끊임없이 공부해야 한다.

2-5. 너 자신을 알라

유튜브를 보면 투자 전문가들이 많다. 하지만 그들의 수익은 어떨까? 그들이 정말 뛰어난 투자 전문가라면 유튜브 방송할 시간이 없을 것이다. 방송할 시간이 있다는 것은 전문적인 투자자가 아니라는 말이다. 속지 말자. 제대로 된 전문가는 투자하기에 바빠서 우리와 같은 일반인을 유튜브로 만날 줄 시간이 없을 것이다.

요즘 투자에 관련해서 문자가 올 때가 있다. 추천종목 알려드린다고 하는 문자들이다. 이런 문자를 보내는 이들이 정말 정보를 알고 있다면 친하지도 않은 나에게 알려줄 이유가 없다. 리딩방들도 마찬가지이다. 모두 내 돈을 노리는 사기꾼 같은 이들이다. 이런 이들은 절대 올바른 투자자들이 아니다.

진짜 전문가는 자신을 드러내지 않는다. 투자하기에 일분, 일 초가 아까울 것이라 사람들을 만날 시간이 없을 것이고 투자하는 자본이 거대해서 자신을 쉽게 드러내기에는 부담스러울 것이다. 큰 부자들은 자신을 드러내지 않는다. 자신의 부를 자랑하지 않는다. 얼마 전 자신을 슈퍼개미라고 속이고 유튜브에 출연하고 책까지 출판하여 유명해진 이가 사기 혐의로 구속된 경우도 있다. 전문가라고 하는 이들을 무조건 신뢰할 수 없다.

전업투자자로 지속적인 수익을 올리고 있지 않다면 일반인 투자자이다. 대다수 투자하는 이들은 일반인이다. 그렇다면 일반인으로 할 수 있는 투자를 해야 한다. 일반인으로 투자하기 위해 먼저 일반인 투자자가 무엇을 할 수 없는지 알아야 한다.

먼저 일반인은 머지않아 10배, 100배가 될 수 있는 기업을 찾기 어렵다. 직장 생활을 하면서 기업을 공부할 시간이 부족하다. 그리고 고급 정보는 일반인에게 찾아오지 않는다. 일반인이 알게 된 정보는 고급 정보가 아니다. 또한 일반인은 통찰력이 부족하다. 많은 자료를 찾아볼 수는 있겠지만 자료를 통해 기업의 장래가 어떻게 될 것인지를 통찰하는 능력은 없다.

마지막으로 일반인 투자자는 자본이 넉넉하지 못하다. 부자들이 투자를 해서 수익을 내는 것은 자본의 규모가 크기 때문이다. 투자 세계에서는 자본의 규모가 큰 자들이 수익을 얻게 되어 있다.

마지막으로 일반인 투자자가 알아야 할 가장 중요한 것은 내일의 주가를 예측할 수 없다는 사실이다. 우리가 만나는 대다수 전문가도 마찬가지로 내일의 주가를 예측할 수 없다. 한두 번 예측이 맞을지 모르나, 계속 맞출 수는 없다. 심지어 차트를 오랫동안 연구해 온 전문가도 내일의 주가는 예측하기 어렵다. 차트는 과거만을 보여줄 뿐이다.

투자는 리스크가 있다. 어떤 리스크는 일반인 투자자가 감당하는 범위를 벗어난다. 미국 대표 ETF QQQ는 나스닥에 상장된 시가총액 상위 100개 기업의 주가를 추종하는 ETF이다. ETF SQQQ는 QQQ의 움직임을 반대로 추종한다. QQQ가 1% 상승하면 SQQQ는 3% 하락하는 구조이다. 만약 QQQ가 1% 하락하면 SQQQ는 3% 상승한다. 이런 인버스나 2~4배 레버리지 투자 상품은 일반인 투자자가 감당할 리스크를 벗어난다. 이런 투자 상품에 투자했다가 그동안 모아놓은 자본이 신속히 사라져 버릴 수 있다. 자신이 일반인 투자자라 생각한다면 인버스 상품이나 레버리지 상품은 가급적 멀리해야 한다.

결론적으로 일반인 투자자는 기업의 미래를 알 수 없고 내일이나 모레의 주가도 알 수 없다. 이런 사실을 깨닫고 인정해야 한다. 몇 번 투자해서 성공을 경험했다고 자신을 과신해서는 안 된다. 자동차를 처음 운전한 이들이 사고를 낼 확률이 높다. 처음 운전하고 얼마간 사고가 일어나지 않았다고 자신이 운전을 잘한다는 착각 속에서 사고는 발생한다. 이처럼 많은 이들이 처음 몇 번 투자에 성공하고는 자신이 투자를 잘한다고 착각하는 경우가 많다.

투자는 먼저 자신을 알고 난 뒤의 이야기이다. 소크라테

스의 말을 다시 새겨들을 필요가 있다. 우리는 전문 투자가가 아니다. 우리는 다만 일반인일 뿐이다.

3. 투자 마인드는 무엇인가?

3-1. 부자들의 투자 마인드 살펴보기

투자하기 전에 자신만의 투자 마인드가 있어야 한다. 어떤 투자가 바로 수익을 가져다줄지라도 자신이 세운 마인드와 맞지 않는다면 과감히 투자하지 않을 정도로 마인드를 정립해야 한다. 그렇다면 부자들의 투자 마인드를 살펴보자 다음은 부아c의 '부의 통찰'에서 나오는 한 단락이다.

[단 3개의 회사에만 투자할 수 있다면 어떤 회사에 투자하겠는가? 나는 이 질문이 스스로를 투기꾼이 아닌 투자자로 만드는 핵심 질문이라고 생각한다.]

우리가 기업을 경영한다고 생각해보자. 우리가 열심히 노력한다고 해도 일생 몇 개 기업을 경영하기 어렵다. 이처럼 투자도 많은 기업에 할 수 없다. 3개 정도 기업에 투자한다고 생각하고 신중해야 한다. 이런 마인드가 우리를 투기꾼이 아닌 투자자로 만들어 줄 것이다.

다음은 박영옥의 '주식투자 절대 원칙'의 한 단락이다.

[주식투자는 '동업'의 관점에서 보아야 한다. 평생 동행할 3~4개의 기업을 찾으려면, 그만큼 신중하고 기준이 명확해야 한다. … 평생에 걸쳐 동행하면서 소통할 수 있는 기업을 3~4개만 가질 수 있다면, 반드시 부와 평온이 찾

아올 것이다.]

동업이라는 말을 곰곰이 생각해보아야 한다. 주식투자는 시세차익으로 승부를 보는 것이 아니라 믿음직한 CEO와 동업하는 것이다. 동업한다면 많은 기업의 CEO와 동업할 수 없다. 몇몇 기업의 CEO와 오랜 기간 동업할 수 있을 것이다.

부자들은 함부로 투자하지 않는다. 만약 당신이 아주 큰 자본을 투자한다면 신중하지 않겠는가? 이처럼 부자들은 다른 사람에게서 들은 소문에 자신의 큰 자본을 맡기지 않는다. 자신의 자본을 잃지 않는 안전한 곳에 투자한다. 그리고 투자하고도 마음이 평온한 투자처에 투자한다.

다음은 사로의 '연봉 4천으로 대한민국 상위 10% 부자 되기'의 한 단락이다.
[돈 많은 자산가일수록 수익률이 낮더라도 안전자산에 투자한다. 그게 부동산 주식 우량주이고, 간단하게 가장 비싼 부동산(강남)과 주식(시총 1~5위)이다.]

우리나라 부자들이 좋아하는 투자처는 어디인가? 안전한 투자처이다. 바로 강남 부동산이고 시총 1위 기업이다. 시총 1위 기업은 우리나라에서는 삼성이고 미국이라면 애플이나 마이크로소프트이다.

부자들은 단기간이 아니라 오랫동안 함께할 기업을 보고 투자한다. 버핏이 좋아하는 기업 중 하나가 애플이다. 이유는 경제적 해자를 가진 기업이기 때문이다. 애플이 제품을 만들어 신제품 발표회를 하는 것을 보면 종교 집단처럼 보인다. 애플 기업을 조건 없이 좋아하는 수많은 애플을 사랑하는 이들이 있다. 이들은 광신도처럼 애플 제품을 사랑하는 이들이다.

그리고 애플 제품을 한 번 사용한 이들이 다른 제품을 사용할 수 없게 되는 경우도 많다. 이런 애플 기업이 경제적 해자를 가졌다고 볼 수 있다. 이런 기업은 쉽게 사라지지 않는다. 오랜 기간 투자할 수 있다. 심지어 자녀에게 물려줄 수도 있다. 그만큼 믿을 수 있는 기업이기 때문이다.

다음은 성세영의 '당신의 투자는 틀렸다.'의 한 단락이다.
[세계적인 주식을 보유해서 팔지 않는 것이야말로 세계 최고의 부자들과 동일한 주식투자 방식이다.]

부자들은 먼저 세계적인 주식을 보유한 다음 팔지 않는다. 기업을 인수해서 자신의 기업을 경영하는 것처럼 오랫동안 투자한다. 하지만 이런 부자의 마인드가 없는 이들은 적은 수익을 생기면 바로 팔거나 적은 손실에도 견디기 어려워 바로 팔아버린다.

부자들의 투자 마인드를 몇 가지를 살펴보았다. 투자할 때 기업을 산다는 마음으로 신중히 투자하며 여러 기업이 아닌 3~4개의 기업에 투자한다. 투자한 기업의 CEO와 동업한다고 생각한다. 그리고 투자해 놓고 마음을 편안하도록 안전한 투자처에 투자한다. 부동산으로는 강남이며 기업으로는 일등 주식이다. 그리고 한 번 투자하면 팔지 않고 오랜 기간 투자하는 것이 부자들의 투자 마인드이다.

3-2. 투자 마인드를 정립하기 위한 도움들

투자 마인드를 정립하기 위해서 명확한 목표를 설정하는 것이 도움이 된다. 명확한 목표는 투자 방향을 설정하는 데 도움을 준다. 목표가 없으면 투자 결정이 일관되지 않을 수 있으며, 이는 장기적인 성과에 부정적인 영향을 미칠 수 있다. 또한 구체적인 목표는 투자에 대한 동기부여를 강화한다. 예를 들어, 은퇴 자금을 마련한다는 목표가 있으면, 투자에 더 집중하고 꾸준히 할 수 있다.

그리고 목표가 있다면 전체적인 재정 계획의 일환으로 작용한다. 투자 외에도 저축, 지출, 부채 관리 등 다양한 재정 요소를 고려하여 종합적인 재정 계획을 세울 수 있다.

투자 마인드를 정립할 때 도움이 되는 다른 한 가지는 장기적인 관점을 유지하는 것이다. 주식시장은 단기적으로 큰 변동성을 보일 수 있다. 그러나 장기적인 관점을 유지하면 일시적인 시장 변동에 흔들리지 않고 꾸준히 투자할 수 있다. 이는 장기적으로 더 안정적인 수익을 가져다 줄 수 있다.

장기적인 투자 관점을 유지하면 결국 장기 투자로 이끌

리는데 이럴 때 복리 효과를 극대화할 수 있다. 시간이 지남에 따라 투자수익이 다시 투자되어 더 큰 수익을 창출하게 된다. 이는 장기적인 재정 목표를 달성하는 데 큰 도움이 된다.

일반인 투자자는 단기적인 시장 변동에 따라 감정적으로 투자 결정을 내리기 쉽다. 장기적인 관점을 유지하면 이러한 감정적 결정을 피하고, 더 이성적이고 전략적인 투자를 할 수 있다. 단기간의 수익이나 손실에 반응하지 않고 시장의 변동성에도 불구하고 심리적인 안정성을 유지할 수 있다. 매일 같이 쏟아지는 수많은 뉴스와 유튜브 방송에 마음이 사로잡히지 않고 자신이 세운 원칙을 지키는데 장기적인 관점은 도움을 준다. 장기적인 관점에서 볼때 많은 뉴스와 정보들을 잠깐 스쳐 지나가는 바람처럼 취급할 수 있게 된다.

4. 왜 미국 우량 주식 장기 투자인가?

4-1. 왜 미국인가?

우리나라에서 투자하기에 가장 안전한 기업은 어디일까? 앞으로 30년 이상 무너지지 않을 기업은 어디일까? 과거 30년 동안 주가가 계속 상승한 기업이 어디일까? 현재 우리나라 시가총액 1위 기업인 삼성이다. 삼성 이외에 위 질문을 통과할 만한 기업은 우리나라에서는 거의 없다. 하지만 미국에는 30년 이상 주가가 계속 상승한 기업이 많다. 그리고 삼성보다 더 크고 안전한 기업이 많다.

우리가 투자할 때 투자처에 대한 신념을 잃지 않을 수 있어야 한다. 내가 투자한 곳이 적어도 나의 아들이 살아 있을 때까지는 살아남을 것이라는 믿음이 있어야 한다. 이런 투자처가 많은 나라는 미국밖에 없다. 향후 50년 동안 무너지지 않고 계속 발전할 가능성이 많은 기업이 미국에는 아주 많다. 전 세계에서 경제가 지속적으로 상승 가능한 나라는 미국이다. 따라서 우리는 다른 나라가 아닌 미국에 투자해야 한다.

과거 중국 투자 붐이 일어났었을 때가 있었다. 심지어 은행에서도 잘 모르고 중국 투자를 장려하기도 하였다. 그 당시 은행원의 말을 듣고 투자했다가 손실 입은 이들이 많았다. 신흥국에 투자하는 것은 역시 전문가의 영역이다.

그 국가를 잘 알아야 하는데 일반인으로 신흥국의 경제 상황을 자세히 알기는 쉽지 않다. 검증이 충분히 완료된 나라는 세계 경제 대국 미국밖에 없다.

우리나라 기업은 왜 투자하기 적합하지 않을까? 우리나라 기업은 우선 시가총액이 적다. 그래서 큰 자본을 가진 투자자들이 기업의 주가를 좌지우지할 수 있다. 심지어 미리 계획하여 주가를 조작할 수도 있다. 우리나라 주식시장은 어느 정도 투기판이라고도 볼 수 있다. 그래서 자본이 적은 개인이 뛰어들어서 이길 승산은 적은 것이다. 투기판에서 벗어나 안전히 투자하기 위한 곳은 세계적인 주식이나 전 세계인들이 선호하는 부동산이 있는 미국이다.

지금은 4차 산업 진입기이다. 인공지능, 반도체, 메타버스, 로봇, 반도체 등 혁명적인 기술 개발이 곧 봇물 터지듯 이루어질 것이다. 그리고 돈의 흐름도 여기로 몰려들 것이다. 그렇다면 우리는 어디에 투자해야 하는가? 현재 세계에서 시가총액 1~3위 기업과 4차 산업과 관련된 기업에 투자해야 한다. 전 세계에서 시가총액 상위 기업들이 어느 나라에 있는가? 4차 산업과 관련된 우량 기업이 어느 나라에 있는가? 어느 나라에서 4차 산업 관련 기술 개발이 잘 이루어지고 있는가? 어느 나라에서 기술 혁신 속도가 빠른가? 이 모든 질문을 통과할 나라는 미국밖에 없다. 유럽의 나라들을 살펴보아도 높은 세금 문제로 경제의 활력을 잃어 가고 있다. 그렇다면 미국에 투자하지 않고 어느 나라에 투자할 수 있단 말인가?

다음은 장우석, 이항명의 '미국 주식이 답이다'의 한 대목이다.

[미국이 여전히 제일 이상적인 투자 대상이다. 전 세계에서 가장 기술 지향적인 경제를 가지고 있다. 결국은 미국이 전 세계를 압도할 것이다. 주식투자란 어느 나라 경제가 강한지에 대한 베팅일 뿐이다.]

다음은 존 보글이 한 말이다.
"나는 앞으로 100년 동안 미국을 앞지를 나라가 없을 것이라 생각한다."

마지막으로 미국에 투자해야 하는 또 다른 이유는 미국에 투자하는 것이 달러를 보유하는 길이기 때문이다. 우리나라 화폐는 사실 돈이 아니다. 과거 우리나라 IMF 위기 때를 보면 안다. 우리나라에 달러가 부족하여 어려움을 겪게 되었다. 우리나라 돈은 한국은행에서 발행하면 된다. 하지만 미국 달러가 부족하면 우리나라가 큰 어려움을 겪는다. 위기에서 구원할 돈은 우리나라 원화가 아니라 미국 달러이다. 즉 달러가 진정한 돈이다. 그러므로 투자를 하려면 달러에 투자해야 한다.

우리나라뿐 아니라 전 세계적으로 경제 위기를 겪는 나라들의 공통점은 그 나라 자국 화폐의 가치는 떨어지고 미국 달러의 가치는 높아진다는 것이다. 그리고 세계 어디를 가더라도 우리나라의 돈은 받아주지 않지만 달러는 환영한다.

만약의 경우를 대비해서 우리 자산 중의 일부는 달러 자산이어야 한다. 그런데 미국 주식에 투자하거나 미국 부동산에 투자한다면 달러 자산을 보유하게 되는 것이다. 미국에 투자하는 것이 기본적인 투자 방향이 되어야 한다.

그럼 부동산을 알아보자. 먼저 한국 부동산을 살펴보자. 한국 부동산에서 좋은 곳이 있다. 바로 사람들이 선호하는 수도권, 서울, 강남이다. 이런 곳은 우리나라 사람이나 중국 사람들이 사고자 하는 곳이다. 하지만 전 세계 사람들이 사고자 하는 곳이 있는데 바로 미국이다.

우리나라 부동산은 양도세가 많다. 부동산 가치가 상승한다고 하더라도 양도세를 피하기 어렵다. 하지만 미국 부동산은 양도세를 피하기 쉽다. 큰 양도차익으로 부동산을 매도하더라도 다시 부동산을 구입하면 세금을 면제받기도 한다. 할 수 있다면 부동산 투자도 한국보다는 미국이 낫다고 할 수 있다.

4-2. 왜 우량 기업, 우량 부동산인가?

앞에서 시장의 변동성이 큰 것을 보았다. 이런 변동성이 큰 시장에서 시가총액이 작은 기업의 주식가격도 변동성이 크다. 경기 침체가 올 때 이런 기업들의 주식가격은 크게 하락한다. 왜냐하면 경기 침체 때는 시장에 자본의 유동성이 낮아져서 주식시장에도 큰 영향이 있기 때문이다. 심지어 대출이 많은 기업은 어려움을 겪고 도산하기도 한다. 과거에 흑자 부도라는 말이 유행일 때가 있었다. 흑자를 계속 낼 정도로 기업이 잘 돌아가지만, 자금의 유동성이 떨어져 급하게 대출한 돈의 이자를 갚지 못해 부도가 나는 경우가 있었다.

회사 상황이 아무리 좋더라도 현금 자산이 부족한 경우 언제든지 부도가 날 수 있다. 특히 스타트업에서 기술과 열정과 직원들이 뛰어나더라도 자금을 구하지 못해 부도나는 경우가 많다. 만약 스타트업이나 시총이 작은 회사를 투자할 경우 향후 몇 년간은 살얼음판을 걷는다는 마음의 각오가 있어야 한다.

아무리 혁신적인 기술이 있는 좋은 기업이라 하더라도 부도날 확률이 높다는 것을 알아야 한다. 그러면 우량 기업은 어떤 기업인가? 망하지 않는 기업이다. 망하지 않는다는 것은 경쟁 기업이 없다는 것이고 현금 자산이 많다는 것이다. 만약에 어떤 새로운 기업이 기존의 우량 기업을 위협할 정도로 혁신적인 기술을 개발했다고 하자. 그러면 그 우량 기업은 새로운 기술을 개발한 기업을 인수하면 된다. 이렇게 해서 잠재적인 경쟁 기업을 없애는 것이다.

다시 말해서 현금 자산이 풍부한 우량 기업을 넘어설 새로운 기업이 나오기가 어렵다고 할 수 있다. 현금 자산이 많은 기업이 바로 워런 버핏이 좋아하는 경제적 해자를 가진 기업이 되는 것이다. 즉 우량 기업만이 경제 침체기에도 살아남고 지속적으로 발전할 수 있다.

다음은 부아c의 '부의 통찰'의 한 단락이다.
[세계 최고의 회사들에 투자하겠다. 누가 10년 뒤에 세계 최고 회사가 될 것인지를 예측하면서 3개 정도의 회사에 매달 투자하겠다. 세계 최고 회사들은 계속 성장하고 있고 세상에서 제일 망하기 힘든 회사들이기 때문이다. 중간에 매도하지 않고 10년 동안 계속 모아간다. 지금의 시가총액 기준으로 본다면 애플, 마이크로소프트 등을 선택하겠다.]

워런 버핏은 기업을 안다고 할 때 10년 뒤에 기업의 상황이 어떻게 될지 정확하게 알고 있다는 뜻으로 말하였다. 하지만 일반인 투자자는 기업을 아는 것이 어렵다. 그렇다면 일반인에게 우량 기업은 바로 세계 최고의 회사이다. 세계 최고 회사는 나의 손자 때에도 망하기 어렵다. 이런 회사에 투자할 때 마음이 편할 수 있다. 다음은 '사로'가 쓴 '연봉 4천으로 대한민국 상위 10% 부자 되기'의 한 부분이다.

[투자를 하면서 더 많은 수익을 내기 위해 빙글빙글 돌아왔지만 결국 깨달은 것이 있었다. 부동산, 주식, 코인 등 다양한 투자 공부를 했지만, 결론은 전 세계 시가총액 1~5위 주식이었다. … 내 자식에게 단 1줄의 유언만 남기라고 한다면, 나는 전 세계 시가총액 1~5위 주식을 사라고 할 것이다.]

저자 사로가 자식에게 전해주고 싶은 유언을 주의해서 들을 필요가 있다. 저자 사로에게는 우량 기업이 전 세계 시가총액 1~5위 주식회사이다.

그렇다면 이렇게 우량 기업에 투자했는데도 우량 기업의 주가가 떨어질 경우 어떻게 해야 하는가? 아무리 우량 기업이고 수익을 많이 내는 기업일지라도 시장 상황에 따라 주가가 많게는 30%까지 떨어지는 경우가 많다. 이럴 경우 심리적으로 불안해하며 견디기 어려울 수 있다. 하지만 우량 기업이기에 당장 망하지 않을 것이고 머지않아 주가는 회복될 것이고 계속 상승한다고 생각해야 한다. 왜냐하면 우량 기업이기 때문이다. 불안해할 것이 아니라 좋은 회사의 주식을 더 싸게 매입할 기회가 찾아왔다고 생

각해야 한다. 부자와 가난한 이들과 차이가 여기에서 나타
난다.

우량 기업의 주가가 곤두박질쳐서 내려갈 때 대다수 투
자자들은 주식을 팔아버린다. 심리적으로 불안함을 이기지
못하는 것이다. 하지만 투자 마인드가 있는 이들은 우량
기업의 주식이 할인판매를 한다고 생각하고 더 투자한다.
이런 식으로 많은 이들이 부자의 대열에 들어섰다. 이렇게
투자할 수 있는 것은 우량 기업이 외적인 경제 상황으로
인해 무너지지 않는다는 지식이 있기 때문이다. 기업에 대
한 탄탄한 신뢰를 가지고 있기 때문이다.

어려울 때 돕는 친구가 진짜 친구이다. 기업이 어려울
때도 변치 않고 투자하는 투자자가 진짜 투자자이다. 이런
진짜 투자자에게 우량 기업은 보답해준다. 즉시는 아니지
만, 시간이 흐르면 흐를수록 기업의 가치를 보여준다. 중
요한 것은 우량 기업의 주식을 팔지 않는 것이다. 왜냐하
면 우량 기업의 가치는 시간이 지날수록 높아지고 그 기
업의 주식가격은 계속 올라가기 때문이다.

하지만 대다수 일반인은 주가가 조금 오르면 팔아버린
다. 진정으로 그 기업의 가치를 알지 못하기 때문이다. 그
러므로 어떤 기업이 우량 기업인지 먼저 공부해야 하고
우량 기업을 찾았으면 지속적으로 그 기업을 공부하는 것
이 필요하다. 다음은 이지성의 '미래의 부'의 한 대목이다.

[우량주식 장기 투자를 실천하려면 적어도 자신이 투자하는 기업에 대해서만큼은 아주 깊이 알아야 한다는 사실을 명심하기 바란다. 그래야 어떤 상황이 닥쳐도 흔들리지 않고 자신의 선택을 밀고 나갈 수 있다.]

일반인으로 기업을 공부할 시간이 없다면 어떻게 해야 하나? 다음의 저자 이영주의 '부의 진리'의 한 대목이다.
[욕심을 버리고 시가총액 상위에 있는 대기업들을 중심으로 투자한다면 굳이 시간을 내어 정보를 찾을 필요가 없다.]

공부하기 어렵고 투자하고 싶다면 시가총액 상위 기업에 투자해야 한다. 시가총액 상위 기업은 한두 명의 천재가 판단해준 것이 아니라 집단 지성이 판단해 준 우량 기업이므로 안심하고 투자할 수 있다. 만약 기업에 대한 공부를 하지 않고 투자한다거나, 시가총액 상위 기업에 투자하지 않는다면 다음의 피터 린치의 말을 새겨들어야 한다.
[최악의 투자는 제대로 알고자 하는 노력이 없고 자신이 전혀 모르는 기업에 투자하는 것이다.] ('피터 린치의 이기는 투자')

이렇게 우량 기업을 찾거나 시가총액 상위 기업에 투자한다면 다음 할 일은 오래 투자하고 팔지 않는 것이다. 다음은 성세영의 '당신의 투자는 틀렸다'의 한 단락이다.
[자본가는 글로벌 독과점 시스템에 투자한다. 그래서 최

대한 많이 투자하고, 최대한 글로벌 독과점 기업들과 동행하기 위해서 항상 투자하고 오래 투자한다.]

우량 기업과 함께 오랜 기간을 보내는 것만이 기본적인 투자의 마인드이다. 전문가들은 분산투자가 안전하다고 한다. 계란을 한 바구니에 담지 말라고 한다. 하지만 우량 기업은 기업 안에 안전이 포함되어 있다. 그래서 분산투자의 필요가 없는 것이다. 다음은 저자 이영주의 '부의 진리'의 한 단락이다.

[분산투자의 시대는 갔다. 분산투자를 했다면 간신히 원금을 지키는 데 불과했지만 1등 기업의 주식을 샀다면 엄청난 수익을 달성할 수 있었다.]

부동산 투자도 마찬가지로 우량한 땅에 투자해야 한다. 사람이 많이 찾지 않는 지방보다는 수도권이고 서울이다. 이곳은 인구 감소가 일어난다고 해도 사람들이 선호하는 곳이기 때문에 장기적으로 가치가 계속 올라갈 수밖에 없다. 다음은 브라운 스톤의 '부의 본능'의 한 단락이다.

[부동산 투자에서는 타이밍 전략을 취하지 말고 장기적으로 어느 곳이 좋은지를 열심히 연구하는 편이 훨씬 효과적인 전략이다.]

주식이든 부동산이든 우량한 기업, 우량한 곳에 투자해야 한다.

4-3. 왜 S&P 500 ETF인가?

앞서서 우량 기업에 투자하라고 하였다. 사실 일반인들이 어떤 기업이 우량 기업인지 판단하는 것은 쉽지 않다. 그 기업의 재무재표를 분석해야 하고 현재의 기업의 내부 사정을 알아야 하며 기업 대표의 어떠함까지 알아야 하기 때문이다.

워런 버핏이 자신의 부인에게 '내가 죽거든 직접투자는 하지 말고 S&P500 지수 ETF만 사라'는 유언과 같은 말을 하였다. 워런 버핏이 왜 이 말을 했을까? 아마 자신의 부인이 전문적인 투자자가 아니기 때문이다. 전문가가 아닌 일반인으로서 투자하려면 안전한 투자처가 필요한데 바로 S&P500 지수 ETF가 해당되는 것이다.

S&P500은 Standard & Poor's 500 Index의 줄임말로, 미국 주식시장에서 가장 대표적인 지수중 하나이다. 11개 업종 500개 대형 기업으로 구성되며 미국 주식시장 전반의 성과를 대표하는 지표이다. 만약 어떤 기업이 실적이 좋아서 S&P500에 편입되었다가 실적이 좋지 않게 되면 S&P500에서 퇴출되게 된다. 즉 S&P500은 미국의 우량 기업들을 실시간으로 파악해서 모아놓았다고 할 수 있다. 전문가들이 미국의 우량 기업들을 지속적으로 연구하고

판단하여 500개 기업으로 추려놓은 것이다. 다시 말해서 S&P500 지수 ETF에 투자하는 것은 전문가가 수고하여 고른 우량 기업들에 투자하는 것이다. 공부하지 않고 우량 기업에 투자하는 방법이다.

그렇다면 S&P500의 성장률을 살펴보자. 2008년 이후 연평균 13% 이상 성장했다. 일반 은행에 저축하면 이율이 많아도 4% 정도밖에 되지 않는다. 13%는 경이로운 성장이다. 그것도 한두 해가 아니라 매년 13% 정도 성장했다는 것이다. 전문가들이 투자하는 대다수 펀드도 수익률이 높지 않다. 심지어 마이너스 수익률도 많다. 마음 편히 수익률이 높은 곳에 투자하려면 S&P500 지수 ETF에 투자하면 된다.

4-4. 왜 장기 투자인가?

내 주위에서 사기를 당한 사람들을 보면 공통점이 있다. 그것은 빨리 부자가 되려는 마음이 있다는 것이다. 빨리 부자가 되려는 욕심 때문에 실패하거나 손실을 입게 된다. 이렇게 손실을 입는 이유는 모든 업적과 성공은 시간이 필요한데 빨리 목표를 이루려 하는 욕심 때문이다. 부자는 천천히 될 수밖에 없다는 사실을 인식하는 것이 필요하다. 워런 버핏은 투자시장은 참을성 없는 개미로부터 인내심 강한 투자자에게 자산을 이전하는 시스템이라 말하였다. 장기 투자에 관한 워런 버핏의 말을 마음에 새길 필요가 있다.

다음은 브라운 스톤이 쓴 '부의 본능'에 나오는 한 단락이다.

[단타에 나선 투자자 99퍼센트가 장기 보유자보다 못하다는 통계 결과가 이미 나와 있다. 그런데 왜 이렇게 많은 사람들이 아직도 단타에 뛰어들까? 이것은 모두 인간의 행운 편향 인식 때문이다. 하수는 행운 편향 인식 때문에 행운만 기대하지만 고수는 언제나 최악의 상황에도 대비한다.]

대다수 단기 투자자들은 수익이 좋지 않다. 단기 투자로 지속적으로 수익을 올리는 이도 간혹 있지만, 일반인으로서는 어렵다. 매일 거래를 하며 수익을 내는 이도 있지만 하루 종일 주식을 거래하기 때문에 온종일 많은 에너지를 소비해야 한다. 내가 보기에 중노동에 가깝다. 모니터를 계속 보고 있어야 하기에 눈 건강도 좋지 않다. 단기 투자의 단점을 제외하더라도 장기 투자의 수익이 단기 투자보다 낮다는 사실을 기억해야 한다.

장기 투자해야 하는 중요한 이유 중 하나는 기업이 성장하는 데 시간이 걸린다는 사실이다. 하루아침에 갑자기 좋은 기업이 될 수는 없다. 많은 세월 동안 지속적인 혁신과 투자로 끊임없이 발전해 온 결과 좋은 기업이 된 것이다. 좋은 기업과 오랫동안 함께 하여 기업의 성장과 함께 성장하는 길은 장기 투자이다.

그렇다면 왜 장기 투자하는 이들이 적을까? 사람의 심리를 통해 장기 투자가 왜 어려운지 알 수 있다. 사람의 심리는 장기 투자에 적합하지 않다. 사람은 근시안적 본능으로 단기 투자를 하는데 이 단기 투자가 주식투자의 실패 원인이다. 사람의 심리와 본능 이외에 외적으로 뉴스와 전문가들, 작전 세력들, 증권 회사 그리고 애널리스트들 또한 단기 투자하도록 투자자들을 이끈다. 결국 단기 투자자들의 자본은 증권 회사의 호주머니 속으로 들어가게 된다.

그럼 장기 투자자는 얼마나 될까? 다음은 부아c의 '부의 통찰'의 한 부분이다.

[미국 우량 주식이나 지수에 투자해서 10년 동안 매도하지 않는 사람이 얼마나 될까? 1% 정도일 것이다. 당신이 그것만 해낸다고 해도 투자에서 상위 1%가 될 수 있다. 2000년 이후로 이와 같은 전략을 사용한 사람은 대부분 몇 배의 수익을 거두었다.]

투자자는 많지만, 투자자 중에서 한 번 사면 10년 이상 팔지 않는 장기 투자자는 1%밖에 되지 않는다. 이 통계를 통해 장기 투자가 얼마나 어려운지 알 수 있다.

그렇다면 어떻게 장기 투자를 할 수 있을까? 앞서 우리는 시장의 변동성에 대해 알아보았다. 시장은 변화가 많고 우리 주변에서 이 변화에 대한 소문도 많다. 요즘은 TV나 라디오뿐만 아니라 인터넷 영상들이 많아져서 이런 소문들이 넘쳐난다. 이런 정보의 홍수 속에서 투자자의 마음은 요동칠 수밖에 없다. 이런 환경에서 장기 투자를 하려면 수많은 소문을 차단해야 한다. 의도적으로 시장 상황을 확인하지 않는 것이다. 수시로 변하는 시장 상황에 눈과 귀를 연다면 우리의 마음은 힘들어질 것이다. 앙드레 코스톨라니는 거의 잠을 자라고 조언하였다. 투자하고 나서 잠을 잘 정도로 무관심 하라는 말이다.

장기 투자에 대해 우스운 소리를 들었다. 어떤 이가 모

기업의 주식을 샀다. 그리고 며칠 뒤 이 기업의 주식을 다시 팔았다. 그리고 몇 년이 지나갔는데 자신이 팔았다고 생각한 그 기업의 주식이 본인의 계좌에 있다는 것을 알게 되었다. 팔았다고 생각했는데 실수로 팔지 않았던 것이다. 오랜 시간이 지나고 확인한 결과 그 기업의 주가는 많이 올라있어서 큰 수익을 얻었다는 이야기이다. 시장의 변동성에 과민하게 반응하지 않고 잠이 든 것처럼 무심할 필요가 있는 것이다.

장기 투자의 예로서 부동산 투자가 있다. 부동산은 주식처럼 가격 변화가 크지 않다. 그리고 주식처럼 매도하기 쉽지 않다. 부동산 매매는 큰 자본이 투입되어야 하고 각종 세금이 있어 쉽게 매매할 수 없는 구조이다. 본인의 부동산 가격이 하락해도 실거주하고 있다면 바로 팔 수 없다. 어쩔 수 없이 장기 투자할 수밖에 없다. 이렇게 반강제로 장기 투자한 많은 부동산 투자자들이 큰 수익을 얻었다. 즉 주식투자도 부동산 투자처럼 한다면 높은 수익을 이뤄낼 수 있다.

다음은 장기 투자의 비결을 말해주는 이영주의 '부의 진리'의 한 단락이다.

[투자 원금을 기억하면 주식의 노예가 된다. 하지만 투자 원금을 잊을 수 있다면 투자에서 자유로워질 수 있다. 투자 원금을 잊는 방법이 바로 보유 주식 수에 집중하는 것이다.]

투자 원금이나 손익을 보지 않고 주식 수만 보는 것이다. 여유 자금이 생길 때마다 한 주식 늘려가는 것이다. 판다는 생각은 접어두고 정규적으로 조금씩 주식 수를 늘리는 것이다.

다음은 이지성의 '미래의 부'의 한 부분으로 장기 투자의 비결을 말해준다.

[10년 이상 한 기업의 주식을 보유하는 건 결코 쉬운 일이 아니다. 그 기업을 진짜로 좋아해야, 아니 사랑해야 오랜 기간 그 기업의 주식을 보유할 수 있다. 하지만 99%의 사람이 장기 주식투자를 알면서도 실천에 옮기지 못한다. 왜 그럴까? 그 기업을 이해하고 사랑하는 마음이 없기 때문이다. 결국 내가 깨달은 주식투자의 비결은 '사랑'이다. 기업을 이해하고 사랑해야 한다. 그 기업과 결혼해야 한다. 이것이 내가 많은 공부 끝에 내린 결론이다.]

투자에서 중요한 요인은 시간이다. 복리의 효과가 충분히 나타나기 위해서는 시간이 필요하다. 다음은 저자 관수, 관평의 '주식 초보자도 수익을 내는 워런 버핏 투자법'의 한 부분이다.

[시간은 투자에서 자금을 제외하고 가장 중요한 요인이다. 아무리 좋은 기업이라도 시간으로 복리를 굴리는 것이 필요하다.]

장기 투자라고 할 때 '장기'라는 기간은 길수록 좋다.

다음은 사로의 '연봉 4천으로 대한민국 상위 10% 부자되기'의 한 단락이다.

[평범한 99.9%의 사람이 부자되는 방법은 투자를 최소 20년 지속하는 것이다. 이 방법 외에 다른 방법은 망할 확률이 99.9%이다. 20년 이내 급격하게 부자가 된 사람들을 따라 하면 무조건 망한다.]

다음은 성세영의 '당신의 투자는 틀렸다.'의 한 부분이다.

[투자의 수익은 매매가 아니라 보유 기간에 달려 있습니다. 장기로 보유할수록 주식 상승과 배당이 복리의 힘으로 나타난다.]

많은 투자의 전문가들이 수익은 시간 즉 보유 기간에 달려 있다고 말하고 있다. 주식 투자한 기간 내내 항상 주가가 오르는 것은 아니다. 물론 주가가 내려갈 때도 있고 횡보할 때도 있다. 하지만 보유 기간이 길면 길수록 수익이 나는 확률이 높아지고 보유 기간이 길수록 수익이 커진다. 가치 투자의 비밀의 저자 크리스토퍼 브라운은 주식 투자 수익의 80~90%는 전체 보유 기간의 2~7%에서 발생한다고 말하였다. 즉 보유 기간이 길수록 주가가 오르는 기회를 붙잡을 확률이 높아지는 것이다.

그렇다면 장기로 투자한다고 할 때 장기는 얼마나 긴 기간을 말하는 것일까? 다음은 장 마리 에베이야르의 '가치 투자는 옳다'의 한 단락이다.

[대부분의 투자자들이 6~12개월의 시간 지평을 갖는데 비해 가치투자자들의 시간 지평은 5년 혹은 그 이상에 더 가깝다.]

장기투자한다고 할 때 최소한 5년은 넘겨야 한다. 5년 안에 팔지 않을 마음으로 주식을 매매하여야 한다. 심지어 내 자녀에게 물려준다는 마음으로 주식을 살 필요가 있다. 그렇다면 왜 장기 투자의 유익을 말하는 이들이 적을까?

투자에 대해서 여러 매체를 통해 알려주는 이들은 직간접적으로 증권 회사와 관련이 있는데 증권 회사의 주된 수입원은 거래 수수료이다. 즉 주식 거래가 많이 발생해야 증권 회사는 많은 수익을 올리게 된다. 만약 주식을 사기만 하고 팔지 않는다면 증권 회사의 수익은 적을 수밖에 없다. 그래서 고객으로 하여금 주식 거래를 많이 하도록 유도하는 것이다.

장기 투자를 방해하는 원인 중 하나는 바로 증권 회사와 관계된 이들이다. 이런 방해 요인을 알고 이겨야 장기 투자를 할 수 있다.

5. 왜 부동산인가?

다음은 서울 아파트 평균 매매 가격 그래프이다.

서울 아파트 평균 매매가격

출처 : KB부동산
단위 : 만원
102,767

위 그래프를 보면 어떤 느낌인가? 가격 상승이 놀랍지 않은가? 위 그래프를 미리 안 사람이 있다면 무조건 부동산에 투자할 것이다. 위 그래프가 서울 부동산의 어떠함을 말해준다.

왜 부동산 매매 가격 그래프는 놀랍도록 우상향할까? 서울 땅은 더 이상 만들어질 수 없기 때문이다. 물건은 공장에서 만들어 낼 수 있지만, 땅은 그렇지 않다. 어떤 물건을 한 기업에서만 생산할 수 있다면 그 기업은 독점 기업이라 불린다. 서울 어딘가에 땅이 있다면 그 땅은 유일하다. 그 동네에 그 위치에 그 땅은 하나뿐이다. 그래서 부동산 사업은 독점 사업이라고 할 수 있다. 전 세계에 있는 독점 기업을 보면 수익이 놀랍다. 그렇지만 독점 기업에서 물러날 때 그 기업의 가치는 떨어지게 된다. 부동산은 언제나 독점이다. 전 세계에서 유일한 땅이다. 유일한 땅에 투자하는 것은 독점 기업에 투자하는 것과 같다.

부동산은 또한 안전자산이다. 왜 안전한가? 부동산 가격은 하향하지 않는가? 물론 부동산 가격이 내려갈 때가 있다. 필자가 산 아파트 가격이 처음 구매했을 때 보다 내려간 기간이 있었다. 하지만 대수롭지 않게 생각하였다. 왜냐하면 당장 팔 것이 아니기 때문이었다. 내 아파트이기 때문에 장기간 보유한다고 생각했기에 당장 아파트 가격이 내려간다고 별 느낌이 없었다. 그리고 몇 년 뒤 아파트를 팔았는데 그때 가격은 처음 구매했을 때 보다 올라가 있었기 때문에 얼마간 수익을 남길 수 있었다.

이처럼 아파트는 쉽게 사거나 팔 수 없기에 강제적인 장기 투자가 되어버린다. 우리나라처럼 인구 밀집 지역에서 아파트 가격은 하향할 때도 있지만 상승할 때가 많기에 장기 보유하면 결국 아파트 가격은 상승할 확률이 높다. 그러므로 아파트는 안전자산이 된다.

우리나라 부동산은 지속적으로 상승할 확률이 높은데 어느 곳이나 그럴까? 지금 우리나라는 인구가 감소하고 있다. 문을 닫는 대학교들이 생겨나고 있다. 초등학교를 입학하는 학생들의 수는 심각하게 줄어들고 있다. 그래서 투자하려면 사람들이 선호하는 지역의 부동산에 투자해야 한다. 우리나라에서 가장 선호하는 지역은 서울이고 서울에서도 강남이다. 강남과 가까울수록 부동산의 가치는 높아진다. 강남이 아니라면 적어도 수도권에 투자할 때 안전한 투자라 할 수 있다.

다음은 정선용의 '아들아 돈 공부해야 한다.'의 한 단락이다.
[대한민국은 인구 밀도 세계 1위, 도시화율 82%, 수도권 인구 집중화 1위, 여기에 가구 분화 속도까지 높다. 이런 사회 구조에서 집값을 내리기 어렵다. 어떤 시장이든 수요가 높을 때는 공급 없이는 그 어떤 규제로도 그 가격을 내릴 수 없다. 공급 이외에 대안이 없다. 아들아, 단언컨대 집값은 내려가지 않는다. 특히 수도권은 더 그렇다. 노년에 경제 자립을 이루기 위해서는 수도권 내 든든한 집이 있어야 한다. 아들아, 근로 소득이나 소상인의 장사로는 더 이상 가족을 지킬 수 없다. 지속적으로 자산 가치가 상승하는 부동산에 투자해야 한다.]

6. 투자 마인드의 발전과 성장

6-1. 성공한 투자자들의 본

배움

워런 버핏의 성공 비결은 끊임없는 학습과 독서라고 한다. 버핏은 하루 500페이지씩 책을 읽을 때도 있을 정도로 소문난 독서가다. 멍거도 2007년 한 연설에서 "시간 측정기를 갖고 버핏을 관찰하면 그의 전체 시간 중 앉아서 책 읽는 시간이 절반을 차지할 것"이라고도 했다. 다음은 전인구의 '세븐'의 한 단락이다.

[투자는 배움의 연속이다. 세상은 늘 변하고 돈의 흐름도 변하기에, 계속 배우고 공부하는 사람만이 성공 투자를 이어갈 수 있다.]

성공한 투자자들에게서 배울 수 있는 공통된 특징은 그들이 독서를 많이 하고 배움을 지속한다는 것이다. 오늘날은 기술 발견이 급격화되고 있는 시기이다. 인공지능의 발전은 너무나 빨라서 전문가들 조차도 따라가기 힘들다. 또한, 세계정세도 급변하고 있다. 이런 시대에 사는 성공적인 투자자의 미덕은 배움이다.

겸손

투자의 위인들에게서 배울 수 있는 미덕 중 하나는 겸손이다. 워런 버핏의 경우 버핏은 자신이 이해하지 못하는 사업에는 투자하지 않는 원칙을 가지고 있다. 이를 '투자 범위의 원'이라 부르며, 자신이 잘 알고 있는 분야에만 투자한다. 이는 그의 한계를 겸손하게 인정하는 태도이다.

1990년대 후반 IT 붐 때 많은 투자자들이 기술 주식에 뛰어들었지만, 버핏은 이를 이해하지 못한다고 판단하고 투자하지 않았다. 이는 자신의 한계를 인정하고 안전한 투자 전략을 고수한 결과로, IT 버블 붕괴 시기에 큰 손실을 피할 수 있었다.

찰리 멍거 또한 겸손의 본이다. 찰리 멍거는 다양한 의견을 듣고, 이를 수용하려는 자세를 갖추고 있었다. 그는 "내 의견이 틀릴 수 있다는 사실을 항상 염두에 두라"라고 조언하며, 다른 사람들의 의견을 겸손하게 받아들이는 태도를 보여주었다.

찰리 멍거의 겸손은 그의 투자철학과 일치하며, 이는 그의 성공의 중요한 요소로 작용해 왔다. 그는 자신의 한계를 인정하고, 끊임없이 학습하며, 실수에서 배우고, 타인의 지혜를 존중하는 태도를 통해 투자 세계에서 높은 성과를 거두었다. 이러한 겸손한 접근은 모든 투자자에게 중요한 교훈을 제공한다.

인내

워런 버핏에게서 배울 수 있는 또 하나의 본은 인내이 다. 워런 버핏은 11세 어린 나에게 투자를 시작하였다. 그 리고 끊임없이 계속 투자하였는데 92세 나이에 이르러서 는 자산의 규모가 144조 원을 넘어섰다. 여기서 눈여겨볼 것이 있는데 워런 버핏의 자산의 95퍼센트 이상이 60세 이후 창출되었다는 것이다. 만약 워런 버핏이 30세에 투자 를 시작하여 60세에 은퇴했다면 현재 보유한 자산의 1퍼 센트 밖에 가지고 있지 않을 것이다. 즉 워런 버핏 존재는 복리 투자의 힘을 보여준 것이다.

워런 버핏은 장기 투자의 중요성을 강조했다. 그는 단기 적인 변동성에 일희일비하지 않고, 기업의 본질적인 가치 에 집중하여 장기적인 수익을 창출하는 데 주력했다. 워런 버핏은 장기 투자에 대해 다음과 같이 말하였다.
"투자는 10년 동안 무엇을 할 것인가에 대한 계획이지, 10분 동안 무엇을 할 것인가에 대한 계획이 아니다."

워런 버핏의 단짝 찰리멍거는 다음과 같은 말을 남겼다.
"큰돈은 사고파는 것이 아니라 기다리는 데 있다."

찰리 멍거 또한 장기 투자를 위한 인내를 언급하였다.
이와같이 대다수 성공한 투자자들은 가치가 있는 기업에
오랫동안 투자하였다.

7. 왜 가상화폐 투자를 조심해야 하는가?

7-1. 비트코인의 유래

비트코인의 개념을 설계하고, 제네시스 블록을 생성한 사람이 '사토시 나카모토(Satoshi Nakamoto)'라고 알려져 있지만 그가 누구인지는 아직도 미스터리로 남아있다. 사토시는 이제까지 단 한 번도 공식 석상에 모습을 드러내지 않고 있다.

여러 사람이 사토시의 후보로 거론이 되었지만 아무도 사토시 나카모토로 입증되지 않았다. 다만 사토시란 이름이 1억 분의 1비트코인을 부르는 단위로 사용되고 있다. 사토시 나카모토는 2009년에 비트코인을 처음 개발한 인물로 알려져 있다. 그가 웹사이트에 등록해 놓은 정보는 1975년 4월 5일생, 일본에 거주한다는 것뿐이다.

일본에 거주한다고 하나 그가 만든 비트코인 주석은 영국식이고 일본어를 사용한다는 근거가 없어서 일본인이라고 단정 지을 수도 없다. 그리고 그가 비트코인 커뮤니티에 논문이나 의견 등을 발표한 시간대를 살펴보면 대부분 미국 중부, 동부 표준 시간의 업무 시간대에 분포하고 있어 미국 거주자라는 추정도 나온다.

사토시는 개빈 앤드리슨을 비트코인 소프트웨어의 수석

개발자로 지명해 자신의 후계자로 삼았고, 2011년 4월 23일 동료 비트코인 개발자에게 작별 이메일을 보내고 자취를 감췄다.

그렇다면 사토시는 왜 비트코인을 만들게 되었을까? 사토시는 2008년 11월 1일 '비트코인 : 개인 대 개인의 전자화폐 시스템' 제목의 논문을 발표하고, 은행이 필요 없는 새로운 전자화폐를 제안했다. 그리고 이 제안을 구현한 비트코인(제네시스 블록)을 2009년 1월 3일에 처음 생성하였다.

사토시의 논문 첫 문장은 다음과 같다. "완벽한 전자화폐 시스템은 온라인을 통해 일대일로 직접 전달할 수 있다. 이 과정에서 금융기관은 필요하지 않다." 즉 기존의 전통적인 금융시스템을 부정한 것이다. 그가 기존 금융시스템에 반감을 가진 것은 중앙 금융시스템에 대한 불신 때문이다.

2007년 미국 서브프라임 모기지 사태가 터지면서 미국 중앙은행의 양적 완화가 시작되었는데 이때 미국 투자 은행 리먼 브라더스가 파산하고 글로벌 금융위기가 찾아왔다. 이에 사토시는 중앙 금융시스템의 위험을 인지하고 더이상 신뢰하지 않게 되었다.

즉 비트코인은 각국 정부의 중앙은행의 금융시스템의

불신으로 시작된 것이다. 비트코인은 각국 정부가 발행하는 화폐를 대치하기 위해 시작된 것으로 볼 수 있다. 그렇다면 비트코인은 각국 정부의 중앙은행과 적대적인 위치를 갖게 되는 것이다.

현재 미국의 달러는 기축 화폐의 위치를 차지하고 있다. 비트코인은 이 위치를 차지하고자 만들어진 것이다. 그러므로 미국의 중앙은행은 비트코인과 함께 갈 수 없고 비트코인의 힘이 확대되는 것을 방관할 수 없는 입장이다.

여기에서 비트코인의 미래를 엿볼 수 있다. 미국의 중앙은행과 맞서서 이길 수 있는 화폐가 현재까지는 없다고 볼 수 있다. 그렇다면 비트코인도 결국 달러에 밀려서 저물어 갈 수밖에 없는 것이다.

비트코인 같은 가상화폐에 투자하려면 그 가상화폐가 어떻게 시작되었는지 면밀히 살핀 후에 해야 할 것이다. 많은 젊은이들이 투자처가 없어서 쉽게 가상화폐에 발을 들이고 있는데 이는 가볍게 결정할 일이 아니다.

달러와 맞서고 각국 중앙은행과 맞서는 비트코인의 미래가 밝다고 볼 수 없으므로 투자자들은 주의해야 할 것이다.

7-2. 투자 전문가들의 의견

투자의 귀재로 불리는 워런 버핏은 비트코인 등 가상화폐에 대해서는 일절 투자를 하지 않는 것으로 알려져 있다. 버핏은 버크셔 해서웨이 연례 주총에서 '비트코인에 대한 부정적인 견해를 아직도 바꾸지 않았냐?'라는 질문에 "전 세계 비트코인 모두를 25달러에 사라고 해도 사지 않을 것"이라고 답변했다.

버핏은 "비트코인은 생산적이지 않고 전혀 내재가치가 없기 때문"이라 하였다. 이처럼 투자의 현인 버핏은 비트코인 등 가상화폐의 결말을 좋게 보고 있지 않다. 또한, 버핏은 언론사 인터뷰에서도 가상화폐를 비판한 적이 있다. 이렇게 비판한 이유는 버핏이 가상화폐에 대해서 잘 모르기 때문이다고 하였다. 즉 버핏의 투자 원칙 중 하나는 자신이 잘 알지 못하는 투자는 하지 않는다는 것이기 때문에 가상화폐에 대해 투자하지 않는 것이다.

버핏의 단짝 찰리 멍거도 과거 가상화폐 시장을 '아무것도 아닌 것에 대한 투자'라고 표현하며 전 세계의 국가 통화를 훼손시키는 행위라고 언급한 바 있다. 그는 전반적으로 가상화폐 시장이 가치를 지니지 않았다고 보고 있다.

또 다른 투자 현인 피터 린치의 가상화폐에 관한 생각을 살펴보자. 피터 린치는 암호화폐 투자와 관련해서는 아직 생각이 없다며 선을 그었다. 그는 "과거에 블록체인 기술을 공부한 적도 있고 작동 원리에 대해서도 이해하고 있지만, 암호화폐는 전혀 모르겠다."라고 밝혔다. 또한, 비트코인과 이더리움을 비롯해 주요 암호화폐를 보유하고 있지 않다면서 비트코인의 전망이 불투명하다고 덧붙였다.

즉 현명한 투자자들은 자신이 잘 알지 못하는 대상에는 투자하지 않고 있음을 볼 수 있다. 그렇다면 가상화폐 투자를 무조건 하지 말아야 하는가? 이에 대한 대답은 각자의 원칙에 따라 다를 수 있다. 가상화폐에 관해 많은 공부를 하고 가상화폐 투자에 자신만의 원칙이 있다면 가능하다. 앞서서 투자의 본들은 가상화폐 투자를 좋지 않게 생각한 것은 가상화폐에 관해 깊이 연구해 보지 않았기 때문이다.

가상화폐에 관한 공부가 충분하고 투자 원칙이 분명한 이들은 가상화폐 투자를 할 수 있을 것이다. 하지만 가상화폐 투자의 위험성을 잘 살펴보아야 할 것이다. 갈수록 가상화폐 종류도 많아지고 수많은 가상화폐가 생겨나고 있고 또한 수많은 가상화폐가 사라지고 있다. 만약 가상화폐에 투자한다면 가상화폐 중에 우량화폐인 비트코인일 수밖에 없다.

비트코인이 왜 생겨났고 비트코인의 미래가 어떻게 될지 분명히 알며 비트코인 투자 원칙이 바로 세워진 이들은 투자할 수 있을 것이다. 하지만 이런 조건들이 없다면 조심해야 한다.

8. 장기 투자로 성공한 사례들

8-1. 주식 장기 투자로 성공한 사례들

사례1. 로날드 리드(Ronald Read)

지난달 말 미국 버몬트주의 한 마을은 허름한 옷차림의 로날드 리드(Ronald Read)라는 노인이 죽은 뒤 90억 원의 재산을 남겼다는 뉴스가 알려지면서 한바탕 시끌했다. 게다가 이 가운데 70억 원가량을 동네 병원과 도서관에 기부했다는 소식에 사람들은 더욱 놀랐다.

주인공인 리드씨는 92세로 죽기 전 제이씨페니(J.C. Penny) 백화점에서 파트타임 청소원으로 일했고 청소원으로 일하기 전에는 동네 주유소에서 57세까지 일했던 전혀 특별하지 않은 사람이었다. 게다가 아내와는 40여 년 전에 사별한 뒤 혼자 사는 독거노인이었다.

마을 사람들은 그가 살아있는 동안엔 90억 원에 달하는 재산을 가진 부자라는 사실을 전혀 눈치채지 못했다. 왜냐하면 그는 평소 다 헤진 티셔츠에 낡은 외투를 걸치고 다녔고 그 외투마저 단추 대신 안전핀으로 대신했기 때문이다. 그의 옷차림이 어찌나 남루한 지 한 번은 동네 커피숍에서 커피를 주문하던 그를 보고 거지로 판단, 누군가가 대신 커피 값을 내준 적이 있을 정도였다.

마을 사람들의 놀라움은 여기서 그치질 않았다. 허름한 옷차림의 늙은 청소원이 남긴 재산이 모두 주식투자로 모아졌다는 소식에 마을 사람들은 또 한번 뒤짚어졌다. 그가 죽은 뒤 열어본 그의 은행 금고 속에는 주식증서(종이)들이 수북이 쌓여 있었다.

그는 고등학교 졸업 후 제2차 세계대전에 참전했다가 전쟁이 끝난 뒤 고향에 돌아왔다. 그 뒤에는 죽을 때까지 평생 고향을 떠나지 않았다. 대학은 문턱에도 가 보지 않았다. 그래서 모두들 그가 어떻게 주식투자에 나섰는지 의아해했다.

그러나 그는 살아생전 하루도 빠짐없이 월스트릿 저널을 읽었고 동네 도서관을 찾아가 책도 꾸준히 대출하며 공부한 것으로 뒤늦게 알려졌다. 그야말로 독학으로 주식투자를 마스터한 셈이다. 그가 죽은 뒤 거액의 돈을 동네 도서관에 기부한 것도 도서관의 유용성을 깨달았기 때문이다.

그의 주식투자 방법도 사람들을 놀라게 했다. 은행 금고에서 나온 주식들은 모두 아주 오래된 주식증서(종이)로 그가 얼마나 오래 장기 투자를 했는지 말해주었다.

그가 한평생 주유소에서 일하고 또 백화점에서 청소원으로 일하며 조금씩 투자한 주식이 90억 원으로 불어난 결정적 이유는 그가 단기 매매를 하지 않고 처음에 산 주식을 그냥 은행 금고에 묻어 두었기 때문이었다.

그의 투자종목 선정도 예사롭지 않았다. 그가 죽은 뒤 그의 은행 금고에서 발견된 주식은 AT&T, 뱅크오브아메리카, CVS, Deere, GE 그리고 GM 등으로 모두 배당수익률이 높은 우량 블루칩들이었다. 그가 매일 월스트릿 저널을 읽으며 독학으로 주식투자를 공부해 선정한 종목들이 아이비리그를 졸업하고 MBA를 취득한 웬만한 펀드매니저보다도 뛰어났다.

이뿐만이 아니다. 그는 살아생전 매우 검약한 생활을 유지했다. 주식투자로 90억 원의 재산을 모았지만 한 번도 사치스런 생활을 하지 않았다. 그의 가장 큰 호사는 아침에 동네 커피숍에서 모닝커피와 잉글리스 머핀에 땅콩버터를 발라 먹는 게 전부였다고 한다. 자동차도 지금은 단종된 중고 토요타 야리스(경차)를 몰고 다닐 정도였다. 그가 90억 원에 가까운 재산을 모을 수 있었던 이유는 다름 아니라 낭비하지 않았기 때문이었다.

리드 노인은 죽으면서 세상에 참 많은 걸 가르치고 떠났다. 우선 거액을 동네 병원과 도서관에 기증했다. 그의 기부 정신은 일 년 가봐야 단돈 만 원도 기부하지 않는

각박한 현대의 사람들을 숙연하게 만들었다. 그의 수십 년간의 장기 주식투자는 기껏해야 몇 달 투자하고 마는 현대인의 주식투자 행태를 꼬집었다.

또 매일 월스트릿 저널을 읽고 틈틈이 도서관에서 책을 대출하며 주식투자를 공부한 그의 자세는 리서치도 한번 제대로 하지 않은 채 시류에 휩쓸려 테마주를 쫓아다니는 오늘날의 주식투자 풍토와 극명하게 대비된다.

그리고 헤진 옷에 낡은 중고차를 몰고 다니며 검약하게 산 그의 생활 방식은 돈 좀 벌었다고 고급 옷과 외제 차를 필수품으로 생각하고 구매하는 요즘 소비행태를 비웃고 있다. 이 시대 최고의 주식투자자인 워런 버핏도 1958년에 31,500달러에 구입했던 집에서 여태 살고 있다. 그의 부의 규모를 고려하면 더 화려한 집에서 사는 것도 가능하지만 그는 그렇게 하지 않았다. 버핏도 함부로 돈을 낭비하는 걸 용납하지 않는 것이다.

사례2. 1조 자산가 된 80대 개인의 투자법

주식투자로 돈 버는 비법 하나를 소개해 드릴까 합니다. 아주 단순하지만 엄청난 수익률을 자랑하는 비기(秘技)입니다. 현실 가능한 것이지 저도 잘 모르겠습니다. 판단은 여러분의 몫입니다.

이분은 서울 명문대학교에서 학생들을 가르치다 은퇴한 교수님이십니다. 올해 80대 중반으로 건강하게 여생을 즐기고 있다고 합니다. 이분의 자산이 얼마일까요? 놀라지 마십시오. 이 사례를 들려준 사람의 이야기로는 1조 원이 넘는다고 합니다. 시쳇말로 '이거 실화냐?'라고 의심하는 분들도 많을 텐데 실화 맞다고 합니다.

주력 종목은 삼성전자 한 종목. 2000년 11월 삼성전자를 대거 사들인 후 지금까지 보유하고 있다고 합니다. 재산 규모가 사실인지 믿기 어렵지만 대형 증권사의 고위 임원이 본인이 직접 관리해온 고객의 이야기를 들려준 것이니 거짓은 아닐 것입니다.

전문 투자자도 아닌 개인이 어떻게 이렇게 많은 재산을 모았을까요. 이 교수는 30대 중반인 1970년대부터 주식투자를 시작했다고 합니다. '월급쟁이가 돈 벌수 있는 방법은 주식투자 밖에 없다'고 생각했다고 합니다. 그 당시만 해도 주식투자는 투기나 도박으로 여겨지던 때입니다. 시간이 날 때면 칠판에 시세를 적던 명동으로 가서 직접 매매를 하곤 했답니다. 월급의 25%를 떼어 매월 주식에 투자했다고 하네요.

인문대 출신 교수라 주식에 대해선 아무것도 몰랐습니

다. 종목 선정의 바탕이 될 수 있는 경영이나 경제에 대해서도 지식이 전무했습니다. 그래서 단순하게 접근하기로 하고 큰 원칙을 하나 세웠습니다.

그 원칙은 '우리나라에서 가장 좋은 주식 한 종목에만 투자한다'였습니다. 문제는 수천 개가 넘는 종목 중에서 가장 좋은 주식을 고르는 일이었습니다. 저PER, 저PBR, 순이익, 영업이익, 배당 등 다양한 기준이 있었겠지만, 그가 선택한 방법은 아주 단순했습니다.

바로 '시가총액 1위 종목'이었습니다. 여러 가지 변수가 있겠지만 시가총액 1위 종목이 될 정도면 좋은 주식이 분명하다고 생각했습니다. 단순하지만 결과적으로 탁월한 안목이었던 셈입니다.

그때부터 지금까지 시가총액 1위 종목만 투자했습니다. 매매는 시가총액 1위 종목이 바뀌면 이뤄졌습니다. 실제 이분이 매매한 종목을 보면 우리 경제의 발전상이 한눈에 드러납니다.

80년대 수출관련주가 주력으로 부상하면서 현대차, 삼성전자, 유공, 금성사 등이 매매 대상에 올랐습니다. 현대건설이나 대림산업 같은 건설주도 눈길을 끕니다. 80년대 초반에는 한일은행, 제일은행, 조흥은행이 하루가 멀다하고 시총 1위 전쟁을 벌이기도 했습니다. 90년대 들어서는 포

스코나 SK텔레콤, 한국전력, 한국통신 등이 주요 매매 대상이었습니다.

80년대만 해도 1위 종목 시가총액이 1000억 원 안팎이었지만 89년 종합주가지수가 1000을 찍으면서 개별 종목의 시가총액도 급격하게 오르기 시작했습니다. 그래서 한번 이익을 낼 때 10배, 20배씩 내는 경우가 많았다고 합니다. 이 과정에서 재산은 급격하게 불어났습니다.

마지막으로 거래한 종목이 2000년 11월 21일 15만 8000원으로 시가총액 1위에 오른 삼성전자입니다. 당시 삼성전자의 시가총액은 23조 8956억 원. 8일 종가 기준으로 삼성전자 시가총액은 366조 3815억 원으로, 17년 동안 15배 가량 올랐습니다.

정말 대단하지 않습니까. 그리고 단순하지 않습니까. 필요한 건 17년 동안 매도하지 않고 기다린 끈기였습니다. 말이 쉽지 실제로는 거의 불가능한 이야기입니다. 우리 같은 하수들은 이미 수십 번은 사고팔았을 기간입니다.

제레미 시겔의 '주식에 장기 투자하라'에도 나타나듯이 투자 기간이 길어지면 주식은 채권보다 수익률이 높아지고 변동성도 크게 낮아집니다. 이 교수는 이 같은 원리를 실증적으로 보여주고 있습니다.

증권사 임원은 10년 전쯤 이 사례를 다른 PB 수십 명에게도 이야기 해줬다고 합니다. 그중에 딱 한 명의 PB가 실행에 옮겼다고 합니다. 이 사람은 자신의 모든 자산을 다 팔아서 시가총액 1위 종목인 삼성전자를 샀다고 합니다. 결과는 말 안 해도 아시겠지요.

오해하지 마세요. 삼성전자를 매수하라는 게 아닙니다. 핵심은 가장 좋은 종목, 즉 시가총액 1위 종목을 매수해서 이익을 극대화했다는 것입니다. 이분이 투자한 시가총액 1위 종목 중 증시에서 사라진 종목이 꽤 많습니다. 제일은행, 한일은행, 조흥은행, ㈜대우 등등. 17년째 시가총액 1위인 삼성전자도 미래에 어떻게 될지 알 수 없습니다.

삼성전자가 너무 올라서 매수하기 부담스럽다는 분도 있을 겁니다. 시총 60조 원으로 2위에 있는 SK하이닉스를 사는 것은 어떨까요? 그분 기준으로는 가장 좋은 주식이 아니기 때문에, 실패한 투자라고 했습니다. 원칙을 지키라는 말이죠.

증권사 임원은 대안으로 해외 주식을 권했습니다. 미국의 시가총액 1위 종목인 애플, 일본의 토요타 자동차, 중국의 텐센트, 베트남의 비나밀크, 우리나라 삼성전자 등 5개국 시총 1위 종목으로 포트폴리오를 구성하는 것도 성장성과 안정성을 담보할 수 있다고 했습니다.

성투하시기 바랍니다.

뒷말) 이 사례를 이야기해 준 임원은 어떻게 됐는지 궁금하시죠. 그도 비슷한 원칙을 세웠지만 얼마못가 예전대로 돌아갔다고 하네요. 너무 많은 정보와 지식이 독이 됐다고 합니다. 매일 증시를 보고 있으니 흔들릴 수밖에 없었다고 합니다. 단순하지만 지키기 힘든 투자 방법입니다.
 - 1조 자산가 된 80대 개인의 투자법 2017년 언론 기사에서

사례3. 삼성전자 주식 30년 보유해서 500배 차익

신철식 우호문화재단 이사장의 실제 이야기입니다. 이분의 부친이 유명한 신현확 국무총리입니다. 신철식 이사장이 1973년에 서울대 상대 입학하던 해에 부친한테 삼성전자 주시 1만 주를 물려받았답니다. 1973년 당신 삼성전자는 유명하지 않은 비상장 회자였고 1975년 삼성전자 주가 1천 원에 거래가 시작(액면가는 500원).

1973년에 대학교 1학년 때이고, 비상장 주식이었고, 고시 공부하고, 행정고시에도 합격하고, 바쁘게 공무원 생활을 하면서, 삼성전자 주식을 잊어버리고 있었답니다.

그런데 2급 고위공무원이 되면서, (1급 고위공무원은 재산공개 대상이므로), 이런저런 사전 준비와 체크를 하다가 잊고 있던 삼성전자 주식을 찾게 되었다고 합니다. 그래서 주식을 처분했는데, 삼성전자 주가가 30년 만에 500배 상승, 주식 수도 2배, 4배로 늘어나면서, 삼성전자 주가 차익이 천만 원에서 120억으로 늘어난 것이죠.

2006년 당시 고위공무원 재산공개에서 1위를 했는데, 당시 신고 재산은 186억 원 정도였다고 한다. 재미있는 건 2004년 삼성전자를 주당 50만 원에서 51만 원으로, 삼성전자 주가 차익 500배를 30년 만에 벌었습니다.

이분 이 500배 차익을 남기고 판 후에도, 삼성전자는 계속 올라 2021년에 거의 500만 원(액면분할 전 가격)으로 올랐습니다. 만약 이분이 고위공무원이 돼서, 재산공개를 하지 않았고, 계속 잊어버리고 있었다면 삼성전자 주가 차익이 120억이 아니라 1200억은 넘었을지 모릅니다.

삼성전자 팔고 다시 10배 올랐으니, 엄청 손해 본 거 아닌가 하지만, 삼성전자 판 돈으로 강남에 빌딩을 구매했다고 하니, 아마 수십 배는 더 벌었을 것 같습니다. 이분도 언론에서도 밝혔듯, 고시 공부하고 행정고시 합격하고, 바쁜 공무원 생활하다, 진짜 잊고 있었다고 봅니다.

사례4. 14년 전 아버지가 사줬던 주식 5만원어치

원본 글은 지난 2021년 온라인 커뮤니티에 처음 게재됐다. 당시 사연을 보면 지난 2007년 자신이 초등학교 전교 1등을 한 기념으로 아버지가 삼성SDS 주식 5만 원어치를 사줬다는 것에서부터 시작한다.

그러면서 글쓴이는 "잊고 살았더니 500배 불었다"며 기뻐하면서도 "5만 원만 더 넣어주지"라는 아쉬움을 표했다.

실제로 해당 글에 첨부된 주식명세서에 따르면 당시 아버지가 초등학생 아들에게 사줬던 주식은 삼성에스디에스(삼성SDS)로 매수금액은 5만 원이었다. 그리고 14년이 지난 뒤 해당 종목의 평가금액은 2476만 5000원으로 나타났다. 수익률로 보면 49,430%를 기록했다. 지난 27일 삼성SDS의 주가는 13만 5200원에 장을 마감했다. 2014년 상장 당시 삼성SDS 한주당 가격은 20만 원이 넘었다. A씨의 아버지는 자식을 위해 당시 삼성SDS가 비상장 주식인 시점 매수한 것으로 추정된다.

해당 글을 본 네티즌들은 "아버지의 선구안", "5만 원 아니라 500만 원이었다면", "저렇게 잊고 지내야 돈 버는 거지" 등의 댓글을 달며 높은 관심을 보이고 있다.

사례5. 최금식(44)씨

주변에 주식 한다는 사람은 많지만 정작 주식으로 돈 좀 벌었다는 사람은 찾기 어렵다. 초반엔 반짝 벌어도 나중엔 결국 원금까지 까먹은 실패담이 더 많다. 정말 평범한 직장인이 주식으로 돈을 좀 버는 것은 불가능할까. 지방의 한 공기업에서 근무하다 지금은 중소기업 동아항업의 월급쟁이인 최금식(44)씨는 그렇지 않다는 증거다. 그는 지난 5일 한국일보와의 인터뷰에서 "계란을 한 바구니에 담지 말라는 격언이 마치 진리처럼 받아들여지고 있는데 사실 직장인은 이렇게 하면 오히려 수익을 내기 힘들다"고 단언했다.

최씨는 "한 바구니에 1, 2개 종목만 담아 해당 주식을 몇 년에 걸쳐 꾸준히 사들이는 장기 분할매수 방식으로 접근해야 한다"고 주장했다. 어떤 종목이든 상승과 하락을 반복하는 주식시장의 속성상 연간 1, 2번씩은 반드시 수익을 낼 기회가 생기는 만큼 이를 노려야 한다는 게 그의 논리다.

실제로 최씨가 그랬다. 스무 살 때부터 주식투자에 나선 그는 15년 가까이 단기 투자만 고집했다. 하지만 결과는 항상 좋지 않았다. 이후 한 종목에만 장기 투자하는 방식으로 바꿨다. 2009년 MP3 기업 아이리버 주식 한 종목만

1년 넘게 사들여 6,000만 원의 투자수익을 올리면서 본인의 투자 방식에 확신을 갖게 됐다. 그러나 잠시 초심을 잃고 케드콤이란 회사에 단기 수익을 노리고 들어갔다가 회사가 상장 폐지되며 번 돈을 모두 까먹기도 했다. 그는 2010년부터 다시 자신의 투자 원칙으로 돌아갔고, 그 결과 8년 연속 연 30% 넘는 수익을 내면서 마이너스 4,000만 원이었던 순 자산이 12억 원으로 불어났다. 다음은 일문일답.

-장기투자와 분할매수 투자원칙을 세운 계기가 뭔가.

"2000년 PC로 주식매매를 할 수 있는 홈트레이딩시스템이 나오면서 투자를 본격화했다. 주가 움직임이 빠른 종목을 골라내 초단시간에 매수·매도하는 데이트레이닝에 매달렸다. 차트 분석을 기초로 매일 수십 개 종목을 뒤지며 지냈다. 운 좋게 단타로 큰돈을 번 적도 있지만 이렇게 번 돈은 항상 더 큰 손실로 이어졌다. 이런 상황이 반복되자 단타 매매에 넌더리가 났다. 지나고 나서 보니 모든 주식은 오르내리기를 반복하는 만큼 어떤 종목으로도 결국은 수익을 낼 수 있겠다는 생각이 들었다. 이때부터 장기·분할투자만 고수했다."

-장기투자·분할매수의 중요성은 누구나 아는 것 아닌가.

"스스로 장기투자 · 분할매수로 투자 성공을 거둬봐야 그 중요성을 깨닫고 그 과정에서 자기에게 맞는 투자 방식을 찾을 수 있다. 직장인 입장에서 주식으로 돈을 벌 수 있는 가장 빠른 길이 장기투자다. 1, 2년 뒤 수익을 실현한다고 생각하고 투자에 나서란 얘기다. 주식투자의 기본기는 올바른 종목 선정과 기다림으로 압축할 수 있다. 때문에 종목 하나를 골랐다면 매일 몇 시간씩 차트를 보고있을 게 아니라 매달 해당 주식을 분할 매수해 저가에 끌어모은다는 생각으로 접근하는 게 좋다. 2008년 투자원칙을 장기투자 · 분할매수 방식으로 바꾼 뒤 처음으로 산 주식이 아이리버다. 최소 3년은 망하지 않을 재무상태를 갖췄고 3년 이상 주가가 떨어져 충분히 바닥을 다졌다고 판단해서였다. 당시 4,000원이던 주식을 매달 분할매수 하다보니 3만 주 넘는 주식을 갖게 됐다. 2008년 종합주가지수가 반토막날 때 불안한 마음이 없지 않았지만 2009년 4월 결국 상승했고 이때 주식을 팔아 생애 처음으로 의미를 부여할 만한 투자수익(6,000만원)을 거뒀다."

-결국 한 우물만 파란 이야기인가.

"분산투자는 투자 원금이 수억 원도 넘는 투자자에게나 해당한다. 투자 원금이 1억 원 미만인 일반 직장인이라면 한두 종목만 몇 년간 꾸준히 분할매수하는 게 투자효율을 극대화할 수 있는 길이다. 한두 종목에 투자금이 모두 들어가는 만큼 더욱 신중하게 투자하게 된다.

2010년 코오롱생명과학 투자로 재기의 발판을 마련했다. 당시 자산이라곤 -4,000만 원대인 마이너스 통장이 전부였는데, 다달이 들어오는 월급 300만 원 중 150만 원을 코오롱생명과학 주식을 분할매수하는 데 썼다. 분할매수하는 동안 바닥이 완성될 것이라고 판단했다. 1년 8개월 동안 꾸준히 주식을 사들여 대략 1,600주를 보유했다. 주가는 2011년 중반부터 바닥을 다지기 시작해 2012년 4월부터 수익 구간에 들어갔다. 2012년 7월 매도해 한 종목으로 1억 3,000만 원이 넘는 수익을 올렸다. 수익률이 153%에 달했다. 2010년부터 이런 식으로 매년 연 30% 넘는 수익을 거뒀다."

-주가가 항상 오른다는 보장은 없다. 장기간 횡보하는 종목도 장기 분할매수 방식이 통하나.

"무조건 이 방법이 최선이란 얘기는 아니다. 다만 직장인의 경우 주식투자 성공 가능성을 높일 수 있다고 생각한다. 주식투자에서 백발백중의 명사수가 될 필요는 없다. 1년간 과녁에 한 발의 화살만 맞히면 된다. 대주주 비리 등으로 기업 자체가 망가지지 않는 이상 당장 손실이 났다고 해서 손절매하는 건 바람직하지 않다고 본다. 중요한 건 꾸준히 저가매수 하겠다는 의지다."

-중요한 건 종목 선정인 거 같은데 비결이 있나.

"주식투자를 못하는 게 차트 분석과 같은 기술이 떨어져서라고 생각할 필요는 없다. 그 어느 누구도 향후 주가를 정확히 전망하진 못한다. 기술적 분석을 맹신하지 말라. 우선 기업가치를 철저히 봐야 한다. 종목을 고를 때 재무적으로 3년 내 문제가 생길 여지가 없는지 우선 살핀다. 또 기업가치 대비 주가가 싼지, 그러면서 수년간 주가가 조정을 받은 기업에서 기회를 찾는 게 유리하다. 대주주 지분율이 안정권에 있는 기업도 참고할 만하다. 그만큼 책임 경영을 하기 때문이다. 가치 투자 방식으로 접근해야한다."

-전업투자자로 전향하는 건 어떻게 생각하나.

"주식으로 큰 손해를 본 뒤 다시 일어설 수 있었던 것도 당시 다니던 공기업에서 매달 안정적인 월급이 나왔기 때문이다. 우선 좋은 직장을 구하려는 노력을 먼저 한 뒤 투자에 나서라고 조언하고 싶다. 주식은 7할이 기다림이다. 한 번 종목을 고르면 당분간 손 쓸게 없다. 굳이 전업투자자로 전향할 이유가 없다."
(한국일보 2018년 6월 12일 인터뷰 김동욱 기자)

사례6. 밥 커비(Bob Kirby)

밥 커비(Bob Kirby)는 오마하의 현인으로 불리는 워렌 버핏(Warren Buffett)이 최고의 주식 매니저로 부른 전설적인 투자자였다.

하지만 그는 30대 초반까지만 해도 여타 액티브 매니저와 별다름이 없었다. 즉 최적의 마켓 타이밍을 골라 저평가된 주식을 사고파는 행위를 반복했다. 그러다 1950년대 중반 그에게 일대 전환을 가져다준 사건이 일어났다.

그 당시 그는 약 10년 동안 한 부유한 부부에게 주식투자를 자문하며 그 부부의 주식계좌를 관리해 주고 있었다. 이때 그는 부인 명의의 주식계좌에서 남편과 의논하며 주식을 사고 팔았다.

그러던 어느 날 갑자기 남편이 죽게 되어 부인이 남편의 재산을 상속받게 됐다. 그런데 그를 놀라게 한 것은 죽은 남편이 자신도 모르게 주식투자를 하고 있었다는 점이었다. 미망인도 죽은 남편이 생전에 부인 명의의 주식계좌이외에 따로 주식투자를 하고 있었다는 사실을 전혀 눈치채지 못했다. 왜냐하면 남편이 주식을 산 뒤에 증서를 발급받아 은행의 비밀 금고에 넣어 두었기 때문이었다.

하지만 그의 놀라움은 거기서 그치질 않았다. 죽은 부자의 은행 금고에 들어있던 주식투자 내역을 살펴보던 그는 할 말을 잃었다. 왜냐하면 죽은 부자는 생전에 자신이 속한 투자자문사가 매수 추천한 주식을 5천 불씩 꼬박꼬박 사들여 그걸 고스란히 비밀 금고에 넣어 두었던 것이다.

그럼 이 은행 금고 안에 들어있던 주식은 어떻게 됐을까? 상당수의 주식들은 주가가 반토막나 있었다. 그러나 주가가 20배 뛰어 주식 가치가 10만 불로 치솟은 종목이 대여섯 개 있었고, 또 주가가 160배 넘게 뛰어 주식 가치가 80만 불을 초과한 종목도 1개 들어있었다. 이 주식이 바로 복사기의 대명사였던 제록스(Xerox)였다.

종국적으로 그를 충격에 빠뜨린 것은 죽은 부자가 은행 비밀 금고 속에 숨겨둔 주식의 총가치가 자신이 10년간 관리한 부인 명의의 주식계좌의 가치를 훌쩍 뛰어넘는다는 사실이었다. 이러한 차이가 난 이유는 자신이나 죽은 부자나 똑같이 매수 추천된 종목에 투자했지만 단지 자신은 나중에 팔았고, 죽은 부자는 은행 금고에 고스란히 묻어 두었다는 것 밖에 없었다.

그는 망치로 머리를 맞은 것 같았다. "펀드매니저인 자신이 온 신경을 다해 관리한 투자보다 죽은 부자가 그냥 비밀 금고에 넣어두고 아무것도 안 한 결과가 더 낫다니!" 충격 그 자체였다.

커비가 이 사건으로 얻은 교훈은 주식 투자할 때 제록스(오늘날의 애플이나 구글)처럼 160배 대박을 낳는 종목을 잘 골라야 한다는 게 아니었다. 그가 얻은 진정한 교훈은 저평가된 주식을 매수하고 아무것도 안 하는 게 시장의 등락을 살펴보며 샀다 팔았다 하는 노력보다 훨씬 우수한 결과를 낳는다는 점이었다.

커비는 나중에 죽은 부자와 같은 주식투자 기법을 옛날 서부 개척시대에 사람들이 저금할 목적으로 커피 캔에 돈을 넣고 침대 밑에 넣어 둔 것에 비유해 '커피 캔 포트폴리오(Coffee Can Portfolio)'라 불렀다. 심지어 그는 이를 재무학 학술지에 발표까지 했다(Journal of Portfolio Management, 1984).

이와 비슷한 사례는 또 있다. 세계 최대의 인덱스 펀드 회사인 뱅가드(Vanguard)의 창업자인 존 보글(John Bogle)은 2009년 중반까지 5년간 ETF에 투자한 사람들의 수익률을 조사해 봤다. ETF를 거래하는 투자자들은 시황의 변동에 따라 샀다 팔았다 반복한다. 따라서 샀다 팔았다를 하지 않고 계속 보유하는 경우와 실수익률 측면에서 차이가 난다.

그런데 보글의 연구에 따르면 ETF를 거래한 투자자들은 샀다 팔았다 하지 않고 5년간 계속 보유했던 경우에 비해 연평균 4.5퍼센트 포인트나 수익률이 낮았다. 보글의 연구는 커비의 '커피 캔 포트폴리오' 투자기법이 요즘에도 여전히 잘 적용되고 있음을 보여 준다.

우리는 어려서부터 열심히 노력하면 좋은 결과를 얻을 수 있다고 배워왔다. 그런데 '커피 캔 포트폴리오' 얘기는 주식투자 세계에서 이 말이 적용되지 않는다는 걸 시사한다. 주식투자자들은 더 높은 수익을 얻으려고 종목을 샀다 팔았다 하지만, 이러한 행동이 종국적으로 결코 좋은 결과를 낳지 않는다고 말한다. 즉 주식으로 성공하려면 '오래 묻어 두어야 한다'는 얘기다.

사례7. Lyndall Scott Russel이라는 99세 되시는 할머니

2007년 4월 미국 Safeco라는 보험회사는 이 기업의 주주인 Lyndall Scott Russel이라는 99세 되시는 할머니를 초청해서 상을 주었다. 그것은 주식 장기 보유에 대한 감사의 상이었다. 이 할머니는 우리나라에 6.25 침략이 있었던 1950년 시애틀에 살 때 Safeco라는 기업의 주식을 샀다. 이 기업은 미국 본토에서 알래스카를 왕래하는 화물선을 대상으로 보험을 담당하는 보험회사였다.

315달러로 152주의 주식을 사 두었는데 이후 주가가 오르자 증권 회사 직원이 팔라고 재촉했지만 팔지 않고 주권을 신발 상자에 넣어 두고 지금까지 보유하고 있다.

이 57년의 투자 결과 9번의 주식 분할과 배당으로 주식 수는 152주에서 17280주로 113.6배로 주식 수가 늘었고, 주가 역시 매수 당시 2.14달러에 불과하던 주식이 31배가 오른 66.53달러가 됨으로써 평가금액은 115만 달러가 되어 이 57년간 전체 수익률은 365,000%가 되었다.

57년 평균 수익률은 얼마일까? 단순한 평균으로 계산하면 연평균 63%가 된다. 복리로 연평균 상승률을 따져보면 15.45%가 나온다. 물가 상승률보다도 훨씬 높고, 금리보다도 훨씬 높은 계산이 된다.

사례8. 최원호씨 이야기

삼성전자 주식을 모아온 택시 운전사 이야기를 통해서 우리가 나아갈 방향은 어디인지 생각해보면 좋을 것 같다. 지난 10 월달에 경제와 관련된 프로그램에 출연했던 최원호씨의 이야기는 많은 이들 사이에서 큰 화제가 되었다.

최씨는 20여 년 전부터 삼성전자의 주식을 사서 꾸준히 모아왔으며, 높은 수익률을 내면서 자신을 괴롭혔던 지독한 가난에서 해방되었다. 수십 년 전에 최원호 씨는 보증

금 50만 원에 6만 원짜리 월세에 살았다고 알려졌다. 하지만 지금의 그는 전원주택에서 여유로운 노후를 즐기는 수십억 대의 자산가가 되었다.

최원호씨는 반지하 월세에 살면서 택시를 운전했다고 한다. 그리고 택시를 운전할 때는 운전하며 돈을 벌어야하기 때문에 밥 먹는 시간도 아끼기 위해서 차 안에서 밥을 먹으며 15시간에서 16시간을 운전했다고 아들이 직접 이야기한다.

새벽 다섯 시에 강남역에서 차를 타고 잠깐 눈을 붙이면 사당에 도착할 정도로 열정적인 삶을 살았다고 한다. 가난했는데도 그 당시에 힘들었다는 생각을 안 했다고 한다. 가족이 하나로 똘똘 뭉쳐서 부를 이뤄낸 결과가 지금의 최원호씨의 가정을 만든 게 아닌가 생각한다.

젊은 시절 최원호씨의 삶은 고단하고 치열하기만 했다고 한다. 최원호씨는 '나에게 주식이란'이라는 질문에 대해 아래와 같이 답한다. 주식은 '나의 미래의 모든 희망이다', '나의 노후대책을 하기 위한 희망이다' 집 없는 사람은 집 사기 위한 희망이다. 라고 말이다.

최원호씨가 말하는 주식의 최대 장점은 무엇일까? 바로 큰 목돈 없이도 바로 시작이 가능하다는 점을 꼽는다. 부동산 투자의 경우에는 처음에 투자를 시작할 당시부터 큰

돈이 필요하지만, 주식의 경우는 적게는 만 원부터 투자가 가능하다. 최원호 씨 역시도 자신의 가난한 삶에 있어서도 매월 돈이 있을 때마다 주식을 샀다고 한다.

모인 주식은 어느새 100주 이상이 되었으며, 어느 정도 주식이 모인 후에 가격이 오르면 이것을 팔아서 부동산에 투자하는 방법을 택했다고 한다. 부자가 되는 빠른 방법이 있을까?

부자가 되는 빠른 방법의 유무에 대해 아래에서 자세히 알아보자. 부자가 되는 빠른 방법은 없다고 최원호 씨는 말한다. 그는 <돈>이라는 것은 한 번에 불어나는 것이 아니다. 어떤 사람이든 부자가 되기 위해서는 근검절약하며 이를 오랫동안 가져갈 줄 알아야 한다. 이것은 주식도 마찬가지다. 라고 말해서 많은 이들에게 동기부여와 동시에 자신이 가고 있는 길이 올바른 길인지 알려주는 계기가 되었다.

주식을 투자하다가 실패하는 것에 대해서는 어떻게 생각하냐는 말에 "주식을 잘못해서 그렇다. 돈 내고 돈 먹기 식으로 주식을 하면 망할 수밖에 없다"라고 경고했다. 최원호 씨는 새로운 직업을 최근에 하나 가지게 되었다고 한다. 그 직업은 바로 '유튜버'이다. 그는 유튜브 안에서 무려 '17만 명'이라는 구독자를 보유한 '힐링 여행자'라는 유튜브 채널을 운영하는 유튜버이다.

주로 다루어지는 컨텐츠는 부동산과 주식 그리고 전원 생활 등의 여러 이야기를 다룬다. 하지만 그중에 가장 인기가 많은 콘텐츠는 경제 관련 콘텐츠이다.

월세를 살던 택시 운전사에서 수십억 자산가 유튜버가 되었으니 많은 누리꾼들도 그의 투자 방법을 배우고 싶어서 그런 것으로 생각된다. 최원호씨가 주장하는 투자 방법으로는 장기투자와 집중투자 이 두 가지를 꼽는다.

하나의 주식만 사는 것은 위험성이 분명히 있지만, 확실한 주식을 산다면 주가의 하락에도 자신이 불안해할 필요가 전혀 없다는 것.

삼성전자 주식도 역시 자신의 판단에 의하면 그런 주식 중 하나라고 말한다.

지난 2018년도에 1주에 280만 원을 했던 삼성전자가 50:1로 액면분할을 해서 5만 4천 원이 되어서 재상장했을 당시에도 삼성전자의 주식을 구매했으며, 그 이후에 3만 8천 원까지 하락할 당시에도 불안해하지 않았다고 한다. 결국 좋은 종목이라면 다시 오를 것이라는 그만의 투자철학과 믿음이 있었기 때문이다.

삼성전자는 결국 지금 65,000원을 상회하는 가격대를 형성 중이다. 최원호씨는 "주식투자는 나와 내가 투자한

회사의 동반성장"이라고 말한다.

단기간에 돈을 벌기 위한 수단으로 잘 알지 못하는 회사에 투기성으로 투자하면 실패할 수밖에 없으며, 요즘 주식가격은 액면분할을 통해 매우 저렴한 가격에도 구매할 수 있으므로 믿을만한 회사라면 반드시 투자해야 한다고 조언했다.

- 익꿍's Life Report에서

8-2. 부동산 장기 투자로 성공한 사례들

사례1. 개개의 물건에 연연하기보다는 부동산시장과 부동산경기를 내다봐라

평범한 직장인이었던 M씨가 본격적으로 부동산 투자에 관심을 갖게 된 것은 1978년 하반기부터였다. 당시는 정부 주도로 강남개발이 본격화되기 시작한 시점이기도 했다. 평소 경제 동향 및 정부 정책에 관심이 많았던 그에게 강남개발은 정부의 강력한 의지에 따라 시작된 도시계획이면서 산업화 및 도시화로 가는 필연적인 과정인 만큼 부동산에 투자할 수 있는 골든타임으로 보였다.

그의 첫 번째 투자 대상은 서울 서초구 반포동에 소재한 단독주택이었다. 준공된 지 8년 지난 2층짜리 단독주택이었지만 대지면적이 495㎡인 마당이 꽤 넓은 집이었다. 당시 그는 반포동 단독주택에 과감히 투자하기로 결심한 이유는 대지면적이 넓어 철거 후 재건축 시 가치상승이 기대되며, 자동차로 한남대교를 넘어가면 종로·을지로·명동 등 도심 진입이 용이하다는 점 때문이었다. 하지만 무엇보다 도보 10분이면 이용할 수 있는 지하철이 개통되면 서울권 전역이 강남 중심으로 재편될 것이라는 확신이

들었기 때문이었다. 이 부분은 특히 놀랍다. 오늘 들어도 말이 된다는 느낌이 들 정도인데, 무려 1978년에 이런 생각을 하다니…

결과적으로 M씨의 판단은 옳았다. 그의 예측대로 2000년대 이후 서울의 중심상권은 강남역으로 재편되었고, 아울러 2010년 이후로 지하철 9호선 신논현역이 도보 3분 거리에 근접 개통됨에 따라 이 지역의 부동산 가격은 부르는 게 시세일 정도로 급등했다.

몇 해 전 그는 반포동 단독주택을 시세에 맞춰 건축업자에게 매각한 후 그 자금을 기반으로 인근에 5층짜리 상가주택을 매입했다. 경기불황과 저금리 기조가 장기화될수록 임대용 부동산이 대세일 거라는 판단 때문이었다. 무엇보다 상가주택 5층에 거주하면서 매월 1,200만 원 전후의 임대수익을 올릴 수 있게 되어 만족도가 높다. 숲을 먼저 보고 나무를 보았던 그의 혜안이 놀라울 뿐이다.

1978년에 저런 생각을 할 수 있는 사람이 얼마나 될까 생각하면, 참으로 대단하다. 거기다가 정부의 정책과 미래를 내다보는 견해를 가진 분이라면 지금쯤 엄청난 부자가 되어 있을 것은 확실하다. 큰 실수를 하지만 않았다면 말이다. 게다가 그 시절에 단독주택을 매입할 자금이 있었다는 것 역시 대단하며 아직까지 보유하고 있었다는 것 역시 대단하므로 보통 사람의 투자 방식은 아니다. 하지만 난 그의 30년을 내다보는 투자시각은 너무나 가지고 싶다.

사례2. 다음의 글은 따조백장님의 네이버블로그 글이다.

안녕하세요. 따조백장입니다.
<부동산은 우상향이니 장기 투자를 해야한다.>라는 진리의 말이 있죠? 과연 진짜 그 말이 사실인지 실제 사례로 검증을 해보았습니다.

▶ 먼저 그래프 하나 보여드릴게요.

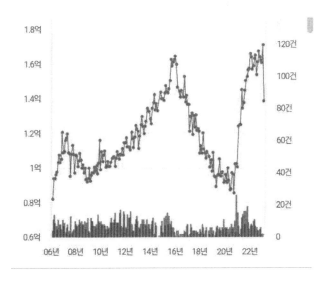

그런데? 띠용. 이 그래프 보이시나요? 그래프 기울기 말고 왼쪽 옆에 가격을 보세요. 장기투자하면 성공한다더니, 06년~22년 17년 동안 3천만 원 올랐습니다. 짝짝

결론입니다. 무려 30년 투자했는데 완전 망했습니다. 왜 이런 일이 일어났을까요?

첫 번째 그래프의 주인공은 지방 아파트입니다. 첫 번째 아파트는 제가 살았던 포항아파트입니다. 시계열을 더 늘려봅니다. 저 아파트는 98년쯤, 7,000만 원 정도에 매수한 걸로 기억합니다. 아직 기억납니다. 고등학교 올라갈 때쯤.

안방에서 엄마와 함께 분양 팜플렛을 보던기억이요. 아무튼 저는 고등학교 때 저 아파트로 이사 후, 거주하게 됩니다. 최근 그 집을 부모님께서 매도를 하였어요. 1.6억에요.

1998년 ~ 2021년 24년 투자
7천 매수 1.6억 매도
차익이 1억이 안되네요, ㅎㅎ
지방 아파트에 잘못 장기투자하면 이런 결론이 나옵니다. 물론 저 집은 저에게 소중한 추억이 있는 곳입니다.

같은 돈으로 살 수 있었던 서울아파트
같은 돈으로 서울을 샀다면? 상계주공입니다. 06년에 비슷한 가격으로 살 수 있었네요.

▶ 상계주공7단지

그래프 보이시나요? 엄청난 기울기입니다. 1억에서 7억 무려 7배가 올랐습니다.

▶ 한번 포항아파트와 비교해 보겠습니다.

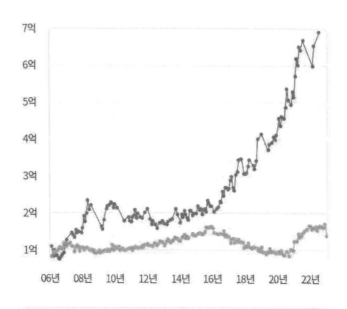

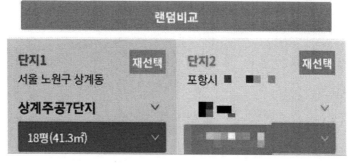

비슷했던 가격이 시간이 지날수록 벌어지는 거 보이시나요? 포항이 더 비쌌던 시기도 있었네요. 같은 돈으로 어디에 투자하느냐에 따라 이렇게 차이가 나네요. 특히 장기투자라면 말이죠. 반포주공아파트는 얼마나 올랐을까?

▶ 반포주공의 옛 분양광고를 찾아보았습니다.

이거.. 여기 나와 있는 분양가 맞나요? 32평 600만

원??

몇천으로 알고 있었는디. 다시 보니 그럴 수 있겠네요.
무려 73년 입주입니다. 그럼 50년 투자네요. 얼마나 올랐
을까요?

73년 입주, 600만 원으로 시작한 가격이 이미 06년도에
6억을 돌파합니다. 600만 원 → 6억 100배

그리고 그 이후에도 5배 더 오릅니다.

600만 원 → 30억, 50년간 총 500배 올랐습니다. 엄청 나네요. 정말. 장기 투자의 결과가, 포항과 너무 비교됩니다.

▶ 아까 노원주공과 비교해볼까요?

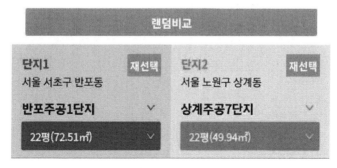

노원 주공도 엄청 올랐는데, 반포주공과 비교해 보니.
노원이 기울기는 아예 보이지도 않네요.

강남의 주공아파트, 빌라들의 분양가 강남의 이름있는
다른 곳도 찾아봤어요. 제가 태어난 80년대네요.

▶ 추억의 광고입니다.

아는 단지들이 보입니다. 은마, 신반포,
이번에 시공사 선정된 방배신동아도 보입니다.
　80년대 입주한 서울 강남아파트 평균 분양가가 대략 몇
천만 원이네요. 40년 지난 지금의 가격은 최소 100배입니
다.

　1980년말 주택 실거래 가격
　서울　논현동　단층단독주택(대지　60평,　건평　20
평)=3600만원

논현동 2층단독주택(대지110평, 건평 80평)=1억500만
원
잠실주공아파트 13평형=1040만원
신반포 주공아파트 25평형=2500만원
서초동 삼익아파트 34평형=3200만원
1989년 빌라 실거래 가격
서울 양재동 130평형=10억원

폭팔적으로 우상향한 아파트들의 공통점
이렇게 폭팔적으로 상승한 아파트들의 공통점을 알아보
았습니다.

- 인구가 유입된다.
- 일자리가 늘어난다.
- 소득이 늘어난다.
- 주변에 지을 땅이 없다.
- 땅값이 오른다.
- 도성 한양이다.

이것의 교집합입니다. 어디 사느냐가 미래를 결정한다.
내가 어디에 사느냐에 따라 미래에 큰 차이가 벌어집니다.
자식을 위해서라도 서울에 살아야 한다는 결론이 나옵니
다. 살 수 없다면? 서울 핵심요지의 지분이라도 반드시 확
보 해야합니다. "할아버지 왜 그때 거기 안 샀어?"라는
말을 듣지 않으려면 말이죠. 서울아파트에 30년 투자하자.

30년을 바라보는 장기 투자라면, 반드시 입지가 최우선입니다.

한 줄 요약, 서울아파트에 30년 투자하면 아래 그래프처럼 됩니다.

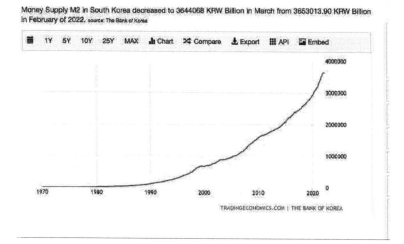

대한민국 총통화량

감사합니다.

사례 3. 강남 상가주택을 경매로 낙찰받아 자산증식에 성공한 A씨

직장인 A씨가 본격적으로 부동산에 투자하기 시작한 시점은 2002년 봄이다. 사실 이전까지만 해도 부동산 투자라고 하면 당연히 아파트에 청약해서 분양받는 게 전부인 줄만 알았던 그였다. 그랬던 그가 부동산 투자에 본격적으로 관심을 가지게 된 계기는 우연한 기회에 참석하게 된 친목 모임에서 베테랑 경매 컨설턴트를 만나게 되면서부터였다.

경매 컨설턴트는 그에게 여유자금이 있다면 법원경매로 나온 부동산에 투자할 것을 권유했다. 부동산 경매에 문외한이었던 A씨로서는 경매 컨설턴트의 권유를 선뜻 받아들이기 쉽지 않았지만 입찰에서부터 명도에 이르기까지 일체의 진행 과정을 도와주겠다고 제안받자 경매를 통한 부동산 투자에 도전키로 했다.

A씨가 투자한 경매물건은 서울 강남구 OO동 초등학교 인근에 소재한 대지 274㎡, 연 면적 515㎡ 규모의 3층짜리 상가주택이었다. 경매법원을 통해 감정평가된 금액은 6억5,000만 원이었지만 배당받지 못하는 상가임차인의 존재로 명도 저항이 우려되는 까닭에 2회 유찰돼 감정평가금액의 64%인 4억1,600만 원에 재 입찰된 물건이었다.

입찰 당일 A씨는 감정평가금액의 74% 선인 4억8,000만 원에 응찰해 경쟁입찰자 4명을 모두 물리치고 최고 낙찰자로 선정됐다. 이후 경매 컨설턴트의 도움하에 상가임차인에 대한 명도절차까지 무사히 마치게 되면서 온전한 소유권을 가지게 됐다.

그 후 시간이 흐르자 A씨가 낙찰받은 경매물건은 주변이 상가 밀집 지역으로 변모해갔다. 또 그사이 지하철 9호선이 개통되면서 MZ 세대가 선호하는 핫한 지역으로 성장했다. 게다가 지난해 신분당선 연장노선(강남역~신논현역~논현역~신사역)도 개통 완료했다. 경매로 매입한 지 21년이 지난 2023년 현재, 투자금액대비 무려 14배 이상 상승한 70억 원에 호가되고 있다. 더욱이 인근 부동산 중개업소들은 리모델링을 통해 개보수까지 마친다면 80억 원에도 매수자가 어렵지 않게 나타날 것으로 내다보고 있다. 그간의 물가상승률을 감안하더라도 A씨의 첫 번째 부동산 투자는 말 그대로 초대박 그 자체였다.

사례 4. 경제 위기 때 과감한 토지 매입으로 큰돈을 벌게 된 B씨

자영업자 B씨의 부동산 투자 성공사례는 경이롭기까지

하다. 2008년 늦가을 지인으로부터 매수를 의뢰받고 개별 공시지가 수준에서 사들인 경기도 용인시 기흥구 마북동에 소재 11,240㎡ 규모의 토지(지목: 임야)가 있다. 해당 토지의 당시 개별공시지가는 3.3㎡당 40만 원 선이었고 시세 역시 개별공시지가를 조금 웃도는 3.3㎡당 50만 원 선에서 크게 벗어나지 않았다.

사실 B씨가 지인 소유의 토지매수를 제의받고 고민하는 모습을 지켜본 가족들은 이구동성으로 매입에 반대했다. 아무리 여유자금이라고는 하지만 임야 투자에 14억 원에 육박하는 큰돈이 들어간다는 사실을 받아들이기 힘들었던 것이다. 심지어 친한 친구들조차 차라리 시중은행의 정기 예금에 넣어두는 편이 더 낫겠다는 충고를 서슴없이 했을 정도였다.

하지만 그의 생각은 달랐다. 비록 지목은 임야였지만 완경사지였기에 향후 개발될 가능성이 보였고, 국내 굴지의 대기업 연구소와 연수원들이 속속 들어설 예정이라는 소문까지 들렸기 때문이다. 무엇보다 유명 사립대학교가 캠퍼스를 이곳 인근 지역(죽전 신도시)으로 막 이전해온 직후였다는 점에 주목했다.

결과적으로 B씨의 판단이 옳았다. 그간 해당 토지 주변에는 아파트 단지와 대기업 연구소 및 연수원 등이 하나둘씩 들어섰고, 예정대로 인근에 해당 사립대학교가 성공적으로 정착하게 되면서 개발 유망 지역으로 급부상한 것이다. 2023년 기준으로 시세를 알아보니, 당장 건물을 지을 수 있는 대지는 차치하고 개발행위가 가능한 완경사지 임야의 경우에도 매입할 당시 가격의 10배 이상을 호가하고 있다. B씨의 부동산 투자 역시 그간의 물가상승률을 감안하더라도 초대박임은 분명했다.

요컨대 앞서 소개한 사례 3의 A씨와 B씨의 부동산 투자 사례는 보는 시각에 따라 다소 공격적으로 보일 수도 있다. 그럼에도 불구하고 그들이 부동산 투자로 낭패 없이 큰돈을 벌 수 있었던 데는 다음과 같은 몇 가지 이유가 있었기에 가능했다. 첫째, 경기불황에 따른 부동산시장 침체가 위기라기보다는 우량부동산을 매입할 수 있는 절호의 기회라고 판단하고 움직였다는 점, 둘째, 단기차익에 급급한 투기적 성향의 매입이라기보다는 장기전망에 근거한 투자적 관점의 매입이었다는 점, 셋째, 단순 매입보다는 매입 후 가공과 개발까지 염두하고 있었다는 점, 넷째, 물가상승률(인플레이션)을 상쇄시킬 수 있는 실물투자였다는 점 등이다.

출처 : 2023년 8월 시사저널

9. 아들을 위한 마지막 조언

아들아 우리가 자본주의 경제 체제에 살기 때문에 투자할 수밖에 없다. 투자는 리스크가 따르기 때문에, 투자 전에 투자 마인드가 정립되어 있어야 한다. 그래서 이제까지 내가 배운 투자 마인드를 정리해보았다. 어느 정도의 자산은 가지고 있어야, 이 사회에서 사람답게 살 수 있기에 아들에게 꼭 전해주고 싶은 이야기이다. 최소한의 자본이 없다면 사람답게 사는 것도, 행복도 멀어질 수밖에 없기 때문이다.

그렇다고 자본이 많다고 무조건 행복할 수 있는 것은 아니다. 요즘 세대는 SNS 세대이다. 태어나면서 SNS와 함께 살아온 세대이다. SNS로 인해 편리함도 누리지만 SNS를 통한 불필요한 '비교'로 인해 불행해지기도 한다. 나는 우리나라의 행복지수가 낮은 원인이 '비교'라고 생각한다. 나보다 좋은 집에 사는 사람, 나보다 좋은 차를 몰고 있는 사람, 나보다 맛있는 음식을 먹는 사람, 내가 가보지 못한 곳에서 여행하는 사람들을 바라보는 것이 우리를 끊임없이 불행하게 만든다고 생각한다.

아들아 행복해지려면 나보다 어렵게 사는 이들을 바라보아야 한다. 그리고 그런 이들에게 도움을 줄 수 있어야 한다. 여기에 행복이 있다. 그리고 가능하다면 여러 나라를 방문해 보아라. 우리나라보다 잘 사는 미국도 좋지만, 우리나라보다 가난한 나라들을 방문해 보고 그 나라 사람들이 어떻게 사는지 유심히 살펴보아라. 이런 방문이 너로 감사할 줄 아는 행복한 사람이 되게 할 것이다.

　다른 이들과 비교하지 않고 기대치를 낮추어 욕심을 조금 버린다면 행복은 너에게 찾아올 것이다. 사랑한다. 아들아.